BOGUSŁAW S. USTABOROWICZ

TAJEMNICE SUKCESU

A. R. Poray Book Publishing Inc.
Stevens Point - Chicago 1993

Okładkę projektował:
Kazimierz Rzeczyca

ISBN: 0938335-28-6

Pamięci moich Rodziców
Wincentego i Marii z Czernielewskich,
którzy umieli z miłością i poświęceniem
zamieniać marzenia we wspaniałą
rzeczywistość.

"Nawet jeśli niebo zmęczyło się błękitem
nie gaś nigdy światła nadziei."

(Dylan)

Malwinie Ziółkowskiej

na pamiątkę ukończenia
Polskiej Szkoły

wych.
Wioletta Ustaszewska

dyrektor szkoły
mgr Urszula Kraśniewska

31 maja 2003

PODZIĘKOWANIE

Szczególne słowa wdzięczności, pragnę przekazać Pani Marii Rzeczyca, za wielką pomoc udzieloną mi przy opracowaniu luźnego materiału i redakcji książki. Bez Jej pomocy trudno byłoby mi wydać tę książkę w obecnej formie.

Równą wdzięczność jestem winien panu Kazimierzowi Rzeczyca, za mozolne przepisywanie tekstów na maszynie, a następnie z talentem przeniesienie materiału do pamięci komputera i opracowanie szczegółowe kształtu książki w takiej formie, jaką dzisiaj oddaję do drukarni.

Pragnę także podziękować pani Matyldzie Wiśniewskiej za wiele cennych uwag, jakich mi udzieliła, przeglądając materiały w rękopisie.

Pani Teresie Błażejewskiej dziękuję za jej cenną pomoc i zachętę do zrealizowania pomysłu tej książki.

Studentom moich seminariów na PUNO, Filii Polskiego Uniwersytetu na Obczyźnie w Chicago, serdecznie dziękuję za entuzjastyczne przyjmowanie wykładów i wprowadzanie w życie nowej wiary w siebie i we własny potencjał.

Jestem bardzo szczęśliwy, że nasze spotkania zaowocowały tyloma osiągnięciami u wielu osób. Dziękuję za życzliwe dzielenie się osiągnięciami i zmianami w życiu.

Studentom Szkoły Liderów Katolickich w Warszawie dziękuję za żywe zainteresowanie i dużą życzliwość z jaką przyjmowali moje wypowiedzi.

Dziękuję słuchaczom sobotnich spotkań radiowych w programie "Radio dla ciebie" i Dyrektorom programu panom Andrzejowi Czumie i Stanisławowi Kędzi, z którymi od czterech lat rozmawiam na antenie o codziennych ludzkich problemach, o kłopotach, radościach, o sposobach pokonywania tego, co gnębi i nurtuje.

Dziękuję wielu Czytelnikom mojej książki "Nie bójmy się zmian" za życzliwość i uwagi oraz zachętę do wydania nowych pozycji. Zadanie zostanie uwieńczone sukcesem, kiedy Państwo w mojej pracy znajdą pomoc do budowania lepszego jutra.

B. S. U.

Drodzy Czytelnicy!

Do rąk Państwa oddaję moją nową książkę. Wiele tematów tu poruszanych zostało wypróbowanych i z pożytkiem przyjętych, przez słuchaczy moich wykładów z "Psychologii sukcesu stawiania i osiągania celu" w Filii Polskiego Uniwersytetu na Obczyźnie w Chicago.

W moich sobotnich spotkaniach radiowych, w programie "Radio dla ciebie" prowadzonych przez panów Andrzeja Czumę i Stanisława Kędzię, starałem się poruszać ważne zagadnienia dla nas wszystkich, a z którymi mamy często duże kłopoty.

Rozmowy telefoniczne ze słuchaczami, po audycjach, utwierdzały mnie o celowości moich wysiłków oraz pomagały mi wychodzić naprzeciw potrzebom ludzi z konkretnymi tematami.

Moje wyjazdy do Polski, spotkania publiczne w różnych środowiskach, audycje radiowe, telewizyjne oraz reakcje ludzi na poruszane zagadnienia, utwierdziły mnie w przekonaniu, że dotykam ważnych zagadnień i aktualnych w czasie.

Teraz, kiedy w Polsce cały system państwowy i gospodarczy ulega zasadniczym zmianom, konieczne jest zrewidowanie dotychczasowych własnych postaw.

Zmieniają się w widoczny sposób stosunki międzyludzkie.

Społeczeństwo z niepokojem, a często z wyraźnym lękiem obserwuje rozwój nowych sytuacji. One to, w sposób bardzo bolesny i drastyczny, uderzają w ludzi, którzy nie są przygotowani do nagłych zmian.

Najbardziej niezawodnym sposobem na antycypowanie przyszłości jest zrozumienie obecnej chwili.

Żyjemy w wyjątkowym czasie, w ciekawym okresie historii ludzkości. Cały świat ulega zmianie. Następuje proces transformacji ze Społeczeństwa Przemysłowego na Społeczeństwo Informacyjne.

Informatyka staje się wiodącą siłą i awangardą postępu.

Na naszych oczach walą się całe gałęzie przestarzałego przemysłu. Znikają giganty, bankrutują potęgi polityczne i biznesowe. Rodzą się nowe państwa, powstają nowoczesne przedsiębiorstwa przemysłowe oparte na cudach techniki i myśli ludzkiej.

Klimat niepewności, szybkie i nieprzewidziane zmiany w różnych aspektach życia i działalności gospodarczej, zmuszają do zasadniczej rewizji naszych dotychczasowych postaw i przekonań. Gdzie mamy szukać oparcia i pomocy, aby sprostać wymogom chwili?

Okazuje się, że dzisiejsze szkolnictwo zupełnie jest nieprzygotowane do zadań, jakie stawia przed nim życie.

Jak "grzyby po deszczu" powstają w Polsce nowe szkoły menadżerów, które mają uczyć studentów sztuki zarządzania biznesem. Wydaje mi się, że to nie rozwiąże wszystkich kłopotów przed jakimi stoimy. Istnieje ogromna potrzeba kształcenia liderów, którzy wyznaczą nowe kierunki działania i wskrzeszą nowego ducha czasów.

Zmiany zachodzące w świecie są bardzo szybkie. Dla tych, którzy są zbyt wolni w swoich reakcjach przedstawiają groźbę.

Dla innych są wspaniałą okazją do otwierania, rozwijania biznesu, do podnoszenia wydajności i jakości wyrobów.

Tworzy się zupełnie nowa atmosfera do współpracy i współdziałania między pracownikami.

To nie przypadek, że menadżerowie posiadający cenne cechy przywódcze, stoją na czele najlepiej prosperujących organiazacji biznesowych świata.

Stają się oni przywódcami dzięki przesunięciu koncentracji energii z formy "strukturalnego zarządzania" na styl "inspirowanego dzielonego przywództwa".

"Strukturalne zarządzanie" wprowadza tak dobrze nam znane elementy, jak: kontrolę, dyscyplinę, zarządzanie, rozkazy, ograniczenia, autorytet, centralizację, manipulację, politykowanie, hierarchię, oceny dobre i złe, procedurę, podręczniki i któtkoterminowe zyski.

"Inspirujące dzielone przywództwo" zakłada: budzenie entuzjazmu do działania, energię twórczą, zaufanie, prawdę, mentorstwo, elastyczność, partnerstwo, decentralizację, rozwój innowacji i intuicji, lepszą jakość życia, działanie w oparciu o grupy wspierające, zespoły kierujące.

Aby sprostać zadaniom współczesności, musimy być świadomi następujących zmian, przeobrażeń i brać w nich czynny udział, podejmować odpowiedzialne decyzje za swoje życie.

Musimy stać się liderami dla samych siebie i rozwijać cechy przywódcze. Zamieniać porażki i narzekania na sukcesy i radość.

Kontrolować własne myśli, emocje, postawy, przekonania. Pobudzać do pracy wyobraźnię.

Powinniśmy zastanawiać się, jaka jest nasza motywacja do życia, pracy, nauki. Jak się odżywiać, spędzać wolny czas. Czy potrafimy rozwiązywać z pogodą ducha własne problemy?

Mam nadzieję, że kiedy spokojnie i z rozwagą przestudiujecie Państwo stronice tej książki, znajdziecie odpowiedź na wiele nurtujących Was pytań. Być może znajdziecie "klucz" do zmiany życia na lepsze i bogatsze.

Życzę pożytecznej i przyjemnej lektury.

Autor

WSTĘP

"Nasze obawy są zdrajcami sprawiającymi utratę dóbr, które często moglibyśmy zdobyć lecz nie zdobyliśmy z prostego powodu, bo baliśmy się próbować naszego szczęścia."

William Shakespeare

Życie człowieka jest nieustanną, wielką i ważną grą. Ale jest też najwyższą wartością.

Wszyscy pragniemy je spędzić godnie, osiągnąć pełnię radości, mieć satysfakcję z tego, co robimy lub czego już dokonaliśmy. Marzymy o tym, aby to, co przed nami, było zawsze dobre, udane i przyjemne. Do osiągnięcia wewnętrznej szczęśliwości i zadowolenia musimy się przygotować.

Poznając zasady gry, przekonamy się, że wcale nie jest tak trudno sprawić, żeby życie zaczęło się toczyć inaczej niż dotąd.

Musimy nauczyć się panować nad życiem, nad tym co czynimy, zharmonizować się z jego regułami. Temu problemowi trzeba poświęcić co najmniej tyle uwagi, ile przeznaczamy na zdobycie pieniędzy lub zawodu.

Jeśli chcesz zostać lekarzem musisz w sposób doskonały posiąść wiedzę z zakresu anatomii człowieka i funkcjonowania jego organizmu, przyswoić sobie rozległe wiadomości o przyczynach i leczeniu chorób, o ich zapobieganiu, opanować w znacznym stopniu takie dziedziny nauk jak chemia, fizyka czy psychologia. Czy to wystarczy abyś zaczął dobrze leczyć? Myślę że nie. Wiedza jedynie teoretyczna nie będzie wystarczająca. Musisz połączyć ją z praktyką. Dopiero ten związek stale doskonalony, przyniesie Ci efekty. Sama teoria jest niczym innym, jak tylko podstawą Twego rzemiosła.

Podobnie jest ze sztuką życia. Trzeba zdobyć podwaliny rzetelnej wiedzy, a potem tylko umiejętnie ćwiczyć, doskonalić samego siebie aż do perfekcji.

Jestem przekonany, że każdy Czytelnik znajdzie w tej książce coś wartościowego dla siebie, że wiele treści stanie się mu bliskimi i będą mu pomocą w zrozumieniu sensu i wartości życia, w doskonaleniu tego co już posiada, jak również w osiąganiu nowych wzniosłych i pełnych wartości ideałów.

Drogi Czytelniku, spróbuj podejść do tego co będziesz czytał z optymizmem, ale równocześnie z entuzjazmem, z chęcią dokonania w swojej osobowości, a tym samym we własnym życiu, zmian na lepsze.

Poczucie własnej wartości jest siłą napędową do osiągania w życiu sukcesów.

Jak człowiek myśli w swoim sercu, takim się staje. Myśli człowieka są kluczem do każdej sytuacji. Dają możliwość transformowania i regenerowania energii twórczej, a to powoduje realizację pragnień.

Prawem wszystkich praw jest akcja i reakcja, sianie i zbieranie, dawanie i branie. Nie możesz otrzymać czegoś za nic.

Biedni ludzie szukają jałmużny, chcą coś za nic, nie znają albo nie są zainteresowani podstawowymi prawami dobrobytu polegającymi na dawaniu i sianiu najpierw.

Zawsze możemy dać coś materialnego lub niematerialnego. Ciągle mamy coś do zaofiarowania, aby przyciągnąć do siebie dobra, które są nam potrzebne. Kiedy emitujemy dobro, będziemy przyciągali dobro. Pamiętajmy, że jesteśmy magnesami przyciągającymi nasz los. Przyciągamy to, czym jesteśmy naładowani. Im bardziej ustawimy swój umysł w kierunku bogactwa, tym łatwiej nam będzie osiągnąć rezultaty.

Musimy pracować i to tak, aby mieć zadowolenie, by stwarzać szansę na rozwijanie własnych inwencji, osobowości. Nie ograniczajmy się tylko do zapewnienia swojej egzystencji.

Istnieje prawo próżni w odniesieniu do dobrobytu. Natura nie znosi próżni.

Jeśli pragniesz więcej dobra, więcej pomyślności w życiu, uwolnij się od tego wszystkiego, czego nie chcesz, aby zrobić miejsce na to wszystko czego pragniesz.

Ja to zrobiłem z moimi ubraniami. Kiedy pozbyłem się starych rzeczy, wkrótce moje szafy napełniły się nowymi, pięknymi, modnymi rzeczami.

Sukces nie jest sprawą przypadku. Pomyślność jest następstwem planowanych rezultatów i konsekwentnego działania.

Do sukcesu nie dochodzi się w pojedynkę. Na jego szczyty mogą Cię wynieść ludzie, którzy będą chcieli Ci pomagać.

Wiara w zdolność do osiągania sukcesów jest podstawą i zasadniczą cechą wszystkich ludzi sukcesu.

Człowiek nie jest w stanie określić długości swojego życia. Dlatego też należy działać i ciągle iść do przodu.

Na zakończenie zacytuję piękne słowa nieznanego autora, które każdy winien przyjąć jako credo swojego życia.

"Zegar życia można uszkodzić tylko raz i nikt nie ma takiej wiedzy, by powiedzieć kiedy zatrzymają się jego wskazówki - w godzinie późnej czy wczesnej. Teraz - to jedyny czas, jaki masz, by żyć, kochać i z zapałem pracować. Więc nie pokładaj nadziei w jutrze, bo wówczas Twój zegar może już stać."

I. KIERUNEK NASZEGO DZIAŁANIA.

"Nadanie sensu życiu może doprowadzić do szaleństwa, ale życie bez sensu jest torturą niepokoju i próżnych pragnień, jest łodzią pragnącą morza i jednocześnie bojącą się go."

Edgar Lee Master

1. ROZSĄDNIE POSTAWIONE CELE STAJĄ SIĘ WIELKĄ SZANSĄ ŻYCIA

Światem rządzą naturalne prawa, które powinniśmy poznać i stosować, jeżeli naprawdę zawsze chcemy osiągać pozytywne rezultaty.

Życie składa się z serii celów. Każdy człowiek stale je sobie stawia. Ciągle do czegoś dąży. Większość z nas działa nieświadomie. Często dziwimy, się dlaczego jedne cele realizujemy z łatwością, innych zaś zupełnie nie potrafimy wprowadzić w życie.

W naszych rozważaniach, będziemy chcieli nauczyć się sztuki stawiania sobie celów w sposób inteligentny i mądry. Będą to cele proste, realistyczne i osiągalne, które przyniosą nam wiele radości i satysfakcji. Jedne cele zaliczamy do głównych, zasadniczych, inne do drugorzędnych, ale wszystkie są ważne, bo kształtują model naszego życia. Niekóre cele powstają z godziny na godzinę, inne zaś z dnia na dzień. Każdy z nich jest krokiem na drodze naszego życia.

Chociaż stawianie sobie celów jest tak naturalne, jak oddychanie, to tak naprawdę nieliczni ludzie wiedzą, jak je osiągnąć. Wielu z nas nieświadomie stawia sobie cele negatywne i dziwi się, dlaczego ich życie wypełnione jest przykrymi doświadczeniami.

Skoncentrujmy się na sztuce stawiania sobie celów i na sposobie ich realizacji. Ktoś, kto nie osiąga celów zgodnie z oczekiwaniem, czuje się zawiedziony i rozczarowany. Zaś szczęśliwy ich zdobywca znajduje zdrowie, radość i bogactwo. Stawianie i osiąganie celów jest sztuką i wiedzą. Musimy zdawać sobie z tego sprawę, że osiąganie ich podlega określonym duchowym prawom, a nie zależy wcale od szczęścia czy przypadku. Każdy powinien poznać te prawa i sposób, w jaki one działają. Również istotną sprawą będzie poznanie negatywnych konsekwencji wynikających z nadużywania tych praw.

Istnieją różne techniki , których skuteczność sprawdzona jest w stosowaniu praw duchowych dla osiągania celu.

Niektórzy ludzie osiągają cele mimo ogromnych przeciwności losu. Pewna kobieta w Jacksonville na Florydzie, bez rąk i nóg, osiągnęła wielki sukces malując kartki z życzeniami. Malowała je trzymając pędzel zębami. Miała cel i wierzyła w siebie.

Długodystansowy biegacz, w dzieciństwie dotknięty chorobą polio do tego stopnia, że z trudem mógł się poruszać, rozpoczął bieganie, aby wzmocnić swoje nogi. Po jakimś czasie, dzięki wytrwałym ćwiczeniom, został rekordzistą. I tu był cel i wiara w siebie.

Dla nas, Polaków, historia życia Janusza Kusocińskiego może być przykładem tego, co człowiek potrafi dokonać, kiedy wytrwale dąży do celu. Wspaniałe sukcesy na olimpiadzie w Los Angeles i w Berlinie były uwieńczeniem celu i wiary w siebie.

Demostenes, żyjący w starożytności, miał wadę wymowy. Jąkał się. Zapragnął zostać mówcą. Praktykował więc wymowę z kamykami w ustach tak długo, aż stał się doskonałym oratorem. Ileż bólu i trudu musiał pokonać na drodze do wymarzonego celu.

Historia zna wiele przypadków ludzi urodzonych w slumsach i wychowanych w nędzy, którzy zdobyli olbrzymie bogactwa, zasłynęli przy tym z szerokiej działalnosci filantropijnej, rozdając miliony dolarów na cele charytatywne.

Dlaczego ci ludzie osiągnęli powodzenie, pomimo znacznych przeciwności, gdy inni, którzy mieli wszystki przywileje predestynujące ich do pełnego sukcesu, całkowicie zmarnowali swoje szanse?

Dr Maxwell Maltz, wybitny nowojorski lekarz, specjalizujący się w chirurgii plastycznej, autor "Psycho - cybernetics", stwierdził, że kiedy osoba po dokonanej operacji plastycznej, zauważała wyraźną zmianę w swym wyglądzie, rozpoczynała pracę nad zmianą swojej osobowości, dopasowując ją do nowej twarzy. Czy to nie budzi zdziwienia? Dlaczego dopiero teraz osoba ta dostrzega potrzebę zmiany swego wnętrza?

Wybitny lekarz, specjalizujący się w leczeniu chorób nowotworowych, uczył swych pacjentów postrzegać świadomością własne organy zaatakowane rakiem, ale już wyleczone. Polecał chorym wyobrażać sobie nowe komórki. Zalecał co dzień spokojną medytację, koncentrację na uzdrowionej części organizmu. W ten sposób pacjenci budowali postawy dla uzdrowienia.

Czy to nie jest pewen rodzaj stawiania sobie celów? Ta metoda działa z wielką skutecznością.

Pewien handlowiec przychodził do swego biura, ale nie zawierał żadnych transakcji. Trudno mu było zrozumieć, dlaczego jego koledzy otrzymywali po kilka, a nawet kilkanaście zamówień dziennie, a on żadnych. Wydawało mu się to niesprawiedliwe. Wreszcie rozszyfrował tajemnicę. Zrozumiał pozytywną technikę stawiania sobie celów i ich osiągania. Zaczął przodować w sprzedaży.

Mógłbym bez końca przytaczać przykłady ludzi, których życie uległo całkowitej zmianie, kiedy nauczyli się sztuki stawiania sobie jednoznacznych celów i uwierzyli w ich pozytywną realizację.

Dlaczego jedni ludzie są do tego zdolni, a inni nie? Czy znają tajemnicę powodzenia? Dlaczego jedni wznoszą się na szczyty, kiedy inni nie mogą ruszyć z miejsca?

To jest właśnie temat, którym pragniemy się zająć.

Nic nie może stanąć na naszej drodze, kiedy zrozumiemy, jak budować realistyczne i właściwe cele i używać potęgi własnego umysłu do ich osiągania.

Frank Lautach powiedział: "Wszyscy wzrastamy do poziomu naszych celów, jakie sami sobie postawiliśmy. Bez celu, który mobilizuje nas do używania sił, nasze dusze ulegają atrofii, tak samo, jak nieużywane mięśnie wiotczeją i stają się słabe."

Elmer Wheeler zaś stwierdziła: "Wiele kobiet i mężczyzn doświadcza w życiu zawodów, nie z braku talentów czy rozumu, czy nawet odwagi, lecz po prostu dlatego, że nigdy nie skoncentrowali swej energii na centralnym, określonym celu swego życia."

Dzisiejszy człowiek przeżywa zawód, który można nazwać zagubieniem sensu życia. Nie wie, skąd wyruszył, a jeszcze mniej wie, dokąd dąży. Współczesny człowiek cierpi na lęk przed bezsensem życia, przed nudą.

Prowizoryczna egzystencja, taka z dnia na dzień, prowadzi donikąd. Powoduje tylko rozterki i kłopoty.

Życie człowieka nigdy nie jest czymś, lecz tylko okazją do czegoś.

Nawet śmiertelne zagrożenie w obozie koncentracyjnym, nie upoważniało więźniów do dostrzegania w swojej sytuacji jedynie prowizorium czy życiowego epizodu. Obozowa egzystencja była próbą sprawdzenia się, czasami stawała się punktem szczytowym, okazją do najwyższego wzlotu.

Każdy czyn jest swoistym, własnym pomnikiem. Nie tylko czyn, ale także i to, cośmy kiedykolwiek przeżyli, ma wielką wartość, z której żadna siła nie może nas ograbić.

Życie nigdy nie jest pozbawione znaczenia i sensu. Nawet cierpienie kryje w sobie coś głębokiego. Życie bez zadań i celów jest nie do zniesienia. Świadomość służenia jakiemuś celowi najlepiej pozwala przezwyciężyć egzystencjalne trudności.

Aktywność, szczególnie u osób starszych, zdolna jest uatrakcyjnić, przedłużyć życie, a także uchronić przed chorobą.

Z punktu widzenia psychoterapii nie chodzi o to, czy ktoś jest młody, czy stary, ale o to, czy czas i świadomość człowieka są wypełnione czymś, czemu się poświęca i czy może mieć poczucie, że mimo swego wieku nadal żyje w sposób wartościowy, godny i wewnętrznie realizuje siebie, budzi poczucie sensownego istnienia dla siebie i dla innych, bliskich mu osób.

2. POTĘGA UMYSŁU - POMOCNA W OSIĄGANIU WŁAŚCIWYCH CELÓW

Kahlil Gibran w książce "The Prophet" stwierdza, że modlitwa jest rozszerzeniem siebie w eterze, przenosi nas w czwarty wymiar. Modlitwa jednoczy nas z Duchem Bożym, przyczyną wszystkiego istnienia. Dzięki modlitwie przejmujemy panowanie nad naszym umysłem. Poddając się działaniu Ducha stajemy się jednym ze źródeł naszego bytu. Modlitwa nie będzie pełna, jeśli nie rozszerzymy naszej świadomości. Musimy być w ruchu, a zatem po modlitwie trzeba zacząć działać. Podobnie jak po wypoczynku włączamy się do aktywnej działalności. Nie wolno trwać bezczynnie.

Zastanów się, czy zbyt długo nie odpoczywasz? Jeśli tak, to natychmiast przerwij ten błogi relaks i podejmij aktywną działalność.

Światem rządzą prawa naturalne, które powinniśmy poznać i stosować w życiu, jeśli naprawdę pragniemy zrealizować nasze cele.

W realizacji celów pomaga nam umysł, który dla nas pracuje. Zasadę działania umysłu wyjaśnia psychocybernetyka. Słowo to pochodzi z języka greckiego i oznacza "sternik." Jest to nowa koncepcja wyjaśniająca zastosowanie cybernetyki, w odniesieniu do mózgu ludzkiego, w celu lepszego zrozumienia jego działania.

Psychocybernetyka nie utrzymuje, że człowiek jest maszyną, ale stwierdza, że działają w nim pewne mechanizmy. Są one tak skonstruowane, że automatycznie sterują drogą człowieka podążającego do celu.

Zastanówmy się nad podobieństwem zachodzącym między mechanizmami sterującymi, a naszym mózgiem.

Mechanizmy sterujące, dotyczące celów, dzielą się na dwa typy:
1. Kiedy cel lub odpowiedzi są znane, a zadanie polega na tym, aby je zrealizować.
2. Kiedy cel lub odpowiedź są nieznane, a zadaniem mechanizmów jest ich odkrycie i zlokalizowanie.

Ludzki mózg i system nerwowy operują obydwoma mechanizmami. Przykładem pierwszego typu może być torpeda samosterująca lub rakieta przeciwlotnicza. Maszyny te muszą znać cel, do którego będą podążać. Muszą być wyposażone w system napędowy, aby mogły się poruszać w odpowiednim kierunku. Muszą posiadać czujniki, które będą informowały mechanizm o właściwym kursie - pozytywne sprzężenie zwrotne oraz negatywne sprzężenie zwrotne - sygnalizowane w momencie zboczenia z kursu. Kiedy negatywne sprzężenie zwrotne poinformuje maszynę o złym kursie, mechanizm kontrolny automatycznie włącza stery, które dokonają korekty błędu i spowodują przesunięcie jej na właściwy tor. Pojazd osiąga swój cel poprzez parcie do przodu, popełnianie pomyłek i dokonywanie poprawek. Drogą prób i błędów osiąga cel.

Takie zachowanie jest charakterystyczne dla każdego uczącego się, np: uczysz się kierowania samochodem, chcesz posiąść tę umiejętność. Początkowo popełniasz liczne błędy, jeździsz zygzakiem, ale kiedy opanujesz wszystkie umiejętności, osiągasz cel.

W magazynie "Instytut motywacji sukcesu", Paul J. Mayer opisał historię piętnastoletniego Janka Gottera, który podsłuchał rozmowę starszych ludzi w wieku 26 - 27 lat. Mówili oni o tym, co zrobiliby, gdyby mogli rozpocząć życie od nowa, mając piętnaście lat. Pod wrażeniem zasłyszanych uwag i zwierzeń, chłopiec zaczął się zastanawiać nad tym, czego on chciałby dokonać w swym życiu. Wziął zeszyt, spisywał punkt po punkcie swoje cele. Zebrało się ich aż 127. Stały się one planem jego życia. Między innymi Janek zapragnął: zostać skautem orlim, zdobyć szczyt Mount Everest, pobrać jad węża, skoczyć ze spadochronu, przeczytać Encyklopedie Britnanica (dokonał tego mając lat 20), odwiedzić każdy kraj na Ziemi, opanować ju-jit-su, biegle pisać na maszynie - 50 słów na minutę. W wieku 47 lat Janek wypełnił 103 punkty ze swych oryginalnych celów. Jakże ciekawe musiało być życie tego człowieka. Nie przyszło mu to łatwo. Przy realizowaniu swych początkowych celów, Janek osiągnął wiele innych, o których uprzednio w ogóle nie myślał. Sporządzenie listy celów stało się podstawą osiągniętych sukcesów.

Paul J. Mayer stwierdził, że sukces jest wynikiem systematycznego, postępowego wypełniania wcześniej przyjętych zadań.

Nasze pragnienia osiągnięcia celów, połączone z silną wiarą i ogromną chęcią dojścia do sukcesu poprzez działanie, zawsze przyniosą oczekiwane efekty.

Myślę, że poniższa historia będzie tego przykładem.

Król perski miał syna garbuska, którego kochał ponad życie. W każdą rocznicę urodzin spełniał życzenie swego dziecka. W dwunastą rocznicę spytał chłopca, co chciałby otrzymać w prezencie. Życzenie było dziwne. Zapragnął on, aby w ogrodzie postawiono jego pomnik. Ojciec był zmartwiony. Serce kochającego syna odgadło przyczynę. To jego kalectwo zasnuło smutkiem oblicze ojca. Pośpiesznie wyjaśnił, że statuła ma przedstawiać wysokiego, wyprostowanego młodzieńca, podobnego do ojca. Życzenie zostało spełnione. W ogrodzie stanął pomnik wysokiego, strzelistego królewicza. Przez osiem lat, każdego dnia, garbusek stawał przed posągiem i wykonywał najrozmaitsze ćwiczenia fizyczne. Chciał się upodobnić do tego, który stał na postumencie.

W 21 roku życia stanął wraz z królem przed pomnikiem i popatrzył z radością na ojca i na statułę. Kalectwo ustąpiło dzięki uporowi i wierze. Był podobny do tego, przed którym stał. Pragnienie chłopca zostało zrealizowane.

3. GŁÓWNY CEL MOTOREM NASZEGO DZIAŁANIA

Robert Louis Stevenson powiedział, że jedynym bogactwem wartym znalezienia jest cel w życiu człowieka. Znaleźć go może każdy, bo jest on w nas. Jasno sprecyzowany, główny cel ma stać się motorem całego naszego działania.

Cele, które stawiamy sobie, nie będą przedstawiały żadnej wartości, jeżeli nie będziemy w stanie ich zrealizować. Któż z nas, nie lubi marzyć? Ale samo marzenie będzie bez znaczenia, jeśli go nie urealnimy.

Jeśli uważnie przysłuchamy się i przyjrzymy potokowi naszych słów i wyobrażeń umysłowych, wówczas zaczniemy odczuwać energię kryjącą się za wypowiedzianymi słowami. Przekonamy się, że one decydują o naszym losie, choć nie zawsze je akceptujemy. Nie chodzi tylko o to, co wypowiadamy, lecz także o to, co czujemy i słyszymy, co dzieje się w naszych głowach, czy mamy tego świadomość, czy to zauważamy? Wsłuchując się uważnie, dowiemy się, w jakim kierunku podążamy. Zauważymy spełniające się oczekiwania tego, co czujemy, czego się najbardziej obawiamy, co podejrzewamy i tego, co się wydarzy.

Dr Whitney przytacza cztery stopnie osiągania celów, które pomagają w rozwoju. Są to:
1. Rozpoznanie ważności prawa naturalnego, jego zasad i akceptowanie go.
2. Przekazanie, czyli łączenie go z dotychczasowym doświadczeniem.
3. Adaptowanie.
4. Stosowanie praktycznie tych zasad w życiu, które pomagają w osiąganiu celów.

Pamiętajmy, że otrzymujemy tylko to, czego poszukujemy. Stawianie sobie wysokich celów z poczuciem osiągnięcia ich, jest warunkiem sine qua non.

Jesteśmy ograniczeni naszą wyobraźnią i każde osobiste doświadczenie jest od niej uzależnione.

Chciałbym przytoczyć pewien ciekawy przypadek młodego człowieka, który pracował w administracji budynków. Zamiatał podwórza i sprzątał apartamenty. W chwilach wolnych od pracy tworzył książkę swych marzeń, bogato ją ilustrował kolorowymi obrazkami. Na kartach książki znalazły się wszystkie jego pragnienia, marzenia, kim chce być, co chce robić, jak żyć i mieszkać.

Powstała przepiękna książka, którą zatytułował: "Książka moich pragnień". Na jednej ze stronic namalował biuro, w którym miała się zrealizować jego wielka przygoda. Nie nazwał tego pracą. W dwa lata później został wiceprezesem firmy, w której sprzątał. Kiedy pojechał do Cleveland obejrzeć swoje nowe miejsce pracy okazało się, że jest ono podobne do tego, które sobie wymarzył i namalował. Bardzo to ciekawy przypadek. Okazuje się, że swój los przekazał z zupełną wiarą i ufnością w ręce Opatrzności, która tę wiarę i ufność wynagrodziła realizacją jego celów i marzeń. Ta metoda nigdy nie zawodzi.

Kiedy przyjrzymy się dokładnie naszym duchowym doświadczeniom, zauważymy, że są one jakby oderwane od naszego życia. Piękne momenty, które przeżywamy, bez połączenia z głównymi celami życiowymi nie mogą nam wystarczyć. Wielka siła powstaje wówczas, gdy złączymy wszystkie działania wraz z całą naszą energią.

Studiując osiągnięcia wielkich ludzi zauważamy, że u podstaw ich powodzenia leżało współdziałanie z innymi w duchu ogromnej harmonii.

Nędza i bieda nie potrzebują pomocy, przychodzą same, lecz bogactwo i sukces są delikatne i nieśmiałe, często muszą być wabione i pielęgnowane.

Jeśli chcesz stworzyć sobie system własnych celów, spróbuj odpowiedzieć na następujące pytania:

Co chcę robić?

Kim chcę być?

Co chcę mieć?

Dopiero teraz, kiedy masz już obraz samego siebie, możesz zacząć precyzować cele.

Wielką pomocą w realizowaniu celów jest współdziałanie w grupie. Należy utworzyć małe 2 - 6-osobowe grupy, których zadaniem będzie wzajemne wsparcie duchowe. Ludzi, z którymi będziemy się łączyć, musi cechować prawdomówność. Mówienie prawdy, nawet tej, która sprawia ból i przykrość, jest koniecznością. Stawiane cele będą bardziej realistyczne.

Tylko wówczas będziemy mogli oddzielić to, co dobre, od tego, co złe i sięgnąć po sukcesy.

Członkowie grupy muszą odczuwać pragnienie współpracy i wzajemnego wspomagania. Każda osoba przed przystąpieniem do pracy, powinna wiedzieć, jakie jest jej zadanie, co korzystnego otrzyma w zamian za przynależność do grupy, a także musi mieć pełną świadomość harmonijnej współpracy. Harmonia jest bowiem prawem natury i daje wielką moc w działaniu.

Członkowie takiej grupy powinni zatem tworzyć idealny związek. Przykładem takiego wiązku może być małżeństwo. Powinno ono być oparte na współdziałaniu duchowym. Pamiętać przy tym trzeba, że wystarczy, aby tylko jeden z partnerów zaczął narzekać, krytykować, zakłócać harmonię życia, a duch wspólnoty ulatuje. Kończy się miłość, związak pęka.

Podobnie dzieje się w pracy. Jeśli w grupie znajdzie się tylko jeden pracownik z wyjątkowo negatywnym nastawieniem, zniszczy spokój i harmonię ducha pozostałych.

Kiedy znajdziemy ludzi poszukujących celów podobnych do naszych, przekonamy się, o ile łatwiej i szybciej można zmieniać, przebudowywać życie własne i nadać mu nowy kształt i kierunek.

4. CELE A SENS ŻYCIA

Każdy człowiek musi dążyć do określonego celu poprzez własne inicjatywy i podejmowane działania.

Cele są czynnikiem motywującym. Nadają sens życiu, a pragnienie ich osiągnięcia pomaga w wyborze właściwej drogi.

Kiedy nie wiesz, jakie są Twoje cele, będziesz poruszał się jak niewidomy i podejmował nieroztropne decyzje. Nieokreślone uczucie niepokoju może być symptomem braku celu w Twoim życiu. Aby sobie pomóc, możesz zacząć prowadzić notatki. Spróbuj zapisywać, co najbardziej lubisz robić, a czego nie i co chciałbyś wykonywać. Jakie cechy podziwiasz u swoich bohaterów, a co Cię drażni u ludzi z Twojego otoczenia. Określ, w czym chciałbyś być podobny do rodziców, a co odrzuciłbyś z ich postępowania.

To da Ci obraz samego siebie. Pozwoli dostrzec dobre i złe cechy. Pomoże w pracy nad sobą, nad wyborem celów, nad doskonaleniem własnego charakteru i kształtowaniem własnej osobowości.

Popatrz na swój własny dzień. Czy dostrzegasz równowagę, czy też konflikt między walorami, jakie posiadasz, a tym, jak zagospodarowujesz swój czas.

Zastanów się, jakie masz cele życiowe? Jak chciałbyś przeżyć swoje najbliższe trzy, cztery czy pięć lat?

Poświęć kilka minut na sprecyzowanie odpowiedzi. Następnie spróbuj je zweryfikować i ulepszyć. Jeżeli Twoje deklaracje są w konflikcie z obecnym życiem, a plan, jaki sobie nakreśliłeś na najbliższe lata, daleko odbiega od tego, czym żyjesz obecnie, musisz koniecznie i to szybko, dokonać zmiany.

Postawienie sobie jasnych celów jest pierwszym krokiem, w podjęciu kierownictwa nad własnym losem.

Zapisuj swoje cele, kontroluj je, zmieniaj lub potwierdzaj każdego miesiąca. Życie biegnie do przodu, zmienia się wiele sytuacji i tym samym ulegają zmianie cele. Na początku nie stawiaj sobie więcej niż jeden cel w poszczególnych rolach, w jakich występujesz. Większa ich liczba może wprawić Cię w zakłopotanie, a nawet spowodować zawód.

Dobierając cele, dokonujmy tego selektywnie, dokładnie analizując i rozpatrując je według cech naszej osobowości.

Spotykamy się z celami jednoznacznymi, konkretnymi np: kurs języka angielskiego, kupno domu, pomalowanie pokoju. Inne mogą być niekonkretne dotyczące dziedzin psychologicznych czy naszej filozofii życiowej. Na przykład: być lepszym rodzicem, rozszerzyć krąg zainteresowań, poprawić własne samopoczucie poprzez uznawanie swoich wartości.

Możemy stawiać sobie cele krótkoterminowe lub długofalowe. Często cele ważne giną w wirze małych spraw, które nas pochłaniają. Pomocne jest tu planowanie. Ale musi ono być wolne od stresów. Musisz oddzielić sprawy ważne od nieistotnych. Wysiłek Twój powinien być skoncentrowany na tym, co pilne i ważne, co nie cierpi zwłoki. Nie wolno Ci tracić czasu na rzeczy bezproduktywne. Staraj się przez kilka minut w ciągu dnia rozliczać swoje dążenia, zamierzenia i wyniki ich realizacji. Jeżeli zauważysz, że czegoś nie udało Ci się zrobić lub że wykonanie nie przynosi pełnego zadowolenia, spróbuj doszukać się przyczyny tego stanu.

Nie bój się pomyłek. Każdy dostrzeżony błąd jest drogą do sukcesu, o ile oczywiście wyeliminujesz go i nie będziesz więcej popełniał.

Każda metoda, która umożliwia włączenie celów w twórczy proces życia, pomoże Ci w ich osiągnięciu. Konieczna jest stała koncentracja uwagi na jednym celu. To, na czym skupisz swoją uwagę, staje się Twoim doświadczenem. Jest to prawo przyczyny i skutku. Myśli stają się rzeczywistością, materializującą się. Trzeba albo zdecydowanie i konsekwentnie dążyć do celu, albo zrezygnować z jego osiągnięcia. Kiedy czegoś zdecydowanie żądasz, to akceptujesz tę sprawę w swoim umyśle. Natomiast, kiedy rezygnujesz, wypierasz się swego prawa do posiadania. Życie będzie Ci dawać to, czego oczekujesz, zgodnie z Twoją zdecydowaną wolą posiadania. Sztuka stawiania i umiejętność osiągania celów zmieniają życie. Znikają napięcia i lęki.

Od kiedy zacząłeś rozumieć, jak stawiać i osiągać cele, Twoje całe życie przyjęło inny wymiar. Pełne zrozumienie tego przynosi zdrowie, szczęście i pomyślność.

Twój umysł jest niewidoczną fabryką, która nieustannie pracuje, nawet wówczas, kiedy śpisz. Możesz przed zaśnięciem postawić sobie pytania i obudzić się z gotowymi odpowiedziami. Osobiście doświadczyłem tego w mojej pracy inżynierskiej.

Przez stawianie sobie celów tworzymy formy, w które spływa energia życia. Jeżeli stawiamy sobie małe cele, to przygotowujemy małe formy. Wielkie cele wymagają wielkich form. Substancję życia nazywamy tworzywem umysłowym, które wypełnia umysłowe modele - formy. Twój podświadomy umysł jest chętnym i posłusznym sługą, jest budowniczym fizycznego ciała, jest umiejscowieniem pamięci. Uniwersalny podświadomy umysł przyciąga do Ciebie idee i pomysły, jakie są potrzebne do realizacji Twoich zamierzeń. Cele, jakie sobie stawiasz, stają się poleceniami dla podświadomego umysłu, który wierzy w to, co mu mówisz i dokładnie wykonuje Twoje polecenia. Jest on twórczym narzędziem wszechświata, działającym w człowieku i przez niego.

Każdy człowiek ma możliwość wyboru. Ty sam ponosisz odpowiedzialność za swój los. Za każdym razem, kiedy dokonujesz wyboru, wprowadzasz w ruch moc twórczą. Każda myśl jest ziarnem zasianym w twórczym ośrodku życia. Nie pozwól innym podejmować za siebie decyzji dotyczących Ciebie i Twojego "Ja". P. D. Ouspensky w książce "The Fourth Way" pisze: "Doświadczać własnego "Ja" oznacza to samo, co mieć świadomość siebie "Ja jastem". Niekiedy to bardzo osobliwe uczucie pojawia się samo z siebie. Nie jest to ani działanie, ani myśl, ani uczucie. To zupełnie inny stan świadomości".

Gdybyś zgodził się na to, świadomie zrezygnowałbyś z danego Ci przez Boga prawa wolnego wyboru. Wystrzegaj się negatywnych wyborów, gdyż rządzą się takimi samymi zasadami, jak Twoje afirmatywne wybory. Musisz być ostrożny, gdyż to, co wybierzesz dla siebie, stanie się Twoim doświadczeniem.

Stawiane cele kształtują Twoje życie i czynią je przyjemnym.

Określenie listy celów, najlepiej na piśmie, niemal automatycznie i natychmiast wprowadza je do Twego życia, wzmacnia pragnienia i precyzuje wybory.

Poprzez dobór i realizacje celów, musisz tworzyć wokół siebie pozytywną, pełną ciepła atmosferę, taką, która Ci pomoże w działaniu twórczym. Uczucia lęku, troski, nienawiści musisz odrzucić, bo nie wnoszą one nic konstruktywnego. Odrzucaj zatem wszelkie krytyki, potępienia siebie i bliźnich. Nie akceptuj przegranej, walcz do końca, bo może się okazać, że jesteś o krok od wymarzonego celu.

Stawianie sobie celów, nie jest próbą manipulacji życiem, ale sposobem na określanie zadań do wykonania i dążenia do ich osiągnięcia. Cele nadają kierunek życiu, porządkują je. Wielki sekret w osiąganiu celów polega na stosowanu zasady: Teraz jest czas, aby zacząć uwalniać się od niebezpiecznych barier powstających w nas, od marazmu.

Na zakończenie naszych rozważań o celach podam kilka wskazówek, które mogą być Ci przydatne:

1. Stawiaj sobie cele, które są dla Ciebie wyzwaniem. Twoje cele powinny się przyczynić do rozwoju umysłu, ale muszą być w zgodzie z naturą. Określaj ramy każdego celu, jego zakres, ponieważ są to Twoje osobiste zasady.

2. Musisz identyfikować się ze swymi celami. Nie wolno Ci oszukiwać siebie. Nie możesz działać wbrew swojej naturze. Każdy stawia cele tylko dla siebie. Twoje cele, przekazane innej osobie, nie muszą być zaakceptowane.

3. Cele winny być wyrażone jasno, np: "Jestem wolny od nałogu palenia", a nie "Chciałbym zaprzestać palenia".

4. Zawsze określaj cele w czasie teraźniejszym.

5. Dążąc do osiągnięcia celów nie wolno Ci dokonywać tego poprzez kłamstwa, oszustwa, kradzieże, ranienie innych ludzi.

6. Bądź ostrożny w stawianiu celów, które opierają się na zawiści, zazdrości czy fałszywych motywach, gdyż działają one jak bumerang.
7. Zanim w pełni osiągniesz cel, już dziękuj losowi, za spowodowanie tego, że Twoje cele zostały określone i działają tak, jakby były już faktami.
8. Los będzie z Tobą w takim stopniu, w jakim Ty z nim. Dane jest Tobie to, w co uwierzyłeś. Jakie myśli, taki czyn.
9. Nie stawiaj sobie celów głupich, cynicznych czy żartobliwych. Musisz być w pełni przekonany, że będziesz skłonny zaakceptować to wszystko, co jest związane z realizacją Twoich celów.
10. Osiąganie celów jest uzależnione od siły entuzjazmu, pragnienia, niesłabnącego przekonania w zwycięstwo i zdecydowanej pewności.

"Nie ma żadnego wielkiego osiągnięcia, które nie jest wynikiem pracy i czekania" - J. G. Holland.

5.FORMUŁOWANIE CELÓW

Spotykamy wielu ludzi, którzy osiągnęli wspaniałe sukcesy. Zastanawiamy się, jak oni tego dokonali.

Cecha, która charakteryzuje ludzi sukcesu, to siła przezwyciężania i pokonywania trudności. Żyją oni teraźniejszością i przyszłością. Nie wracają do przeszłości. Czerpią z niej tylko dobre doświadczenia. Podejmują odważne działania, które motywowane są przyczyną. A przyczyna, to nic innego, jak postawiony cel.

Ludzie tacy zmieniają swe życie poprzez proces myślenia, często myślenia twórczego. Uwalniają się od ograniczeń, dążą do tego co lepsze i doskonalsze. Umiejętnie wykorzystują swoje doświadczenia i zdolności. Działają z otwartym umysłem, sercem i z pasją.

Człowiek, który nie szuka, nie stawia sobie celów, nie będzie robił żadnych postępów w życiu. Nie osiągnie zatem tego, czego pragnie.

Droga do osiągania celów bogaci nas duchowo, emocjonalnie, finansowo, itd. Dzięki temu stajemy się czymś więcej niż byliśmy. Często nawet nie zdajemy sobie z tego sprawy.

Nasuwa się porównanie. Pszczoła poszukująca nektaru w kwiatach, bezwiednie dokonuje procesu zapylania tak nieodzownego do powstania owoców, pomnażania kwiatów.

W wyniku działań zmierzających do celu, często osiągamy bez planowania dodatkowe, zaskakujące efekty. Otwierają się ciągle nowe możliwości i koncepcje.

Cele, moim zdaniem są tym, co wprowadza świat w ruch. Dają nam powód i przyczynę do ciągłej działalności.

Bez celów ludzie stają się niespokojni, wartość ich życia maleje i ubożeje. Czują się źle, popadają w depresję.

W 1953 roku na Uniwersytecie Yale przeprowadzono ankietę wśród studentów ostatniego roku, stawiając im pytanie: "Jakie masz cele, co zamierzasz w życiu osiągnąć?"

3% studentów miała jasno sprecyzowane cele na piśmie. Był to ich plan, z którym wkraczali w życie.

Po 20 latach przeprowadzono badania w tej samej grupie. Okazało się, że osoby z nakreślonymi na piśmie celami, osiągnęły bardzo dużo ze swych zamierzeń, a nawet więcej niż planowały. Ponadto były lepiej przystosowane do życia w rodzinie, w społeczeństwie, pod względem emocjonalnym i socjalnym. Byli również zasobniejsi finansowo niż pozostłe 97% kolegów.

Ustalone kierunki i wytyczne zapisane na papierze dawały możliwość do zaglądania, ulepszania pomysłów, weryfikowania myśli. Cele pozostawione w umyśle często giną w wirze codziennego życia.

Zaglądanie do nakreślonych celów daje zawsze możliwość do nowych przemyśleń. Uruchamiamy przy tym często wzrok, słuch i węch. Programujemy nasz system nerwowy.

Abyś uwierzył, że jest to prawdziwe proponuję ćwiczenie.

Wstań, ustaw nogi prosto, łącząc stopy. Wyciągnij przed siebie prawą rękę z wyprostowanym palcem wskazującym. Obracaj się w prawo za ruchem ręki, bez odrywania stóp od podłogi, tak daleko, jak tylko możesz. Dokonuj tego na pełnym luzie. Zapamiętaj, do jakiego miejsca dotarł Twój palec. Powróć do początkowej pozycji.

Zamknij teraz oczy i wyobraź sobie w myślach, że stoisz z wyciągniętą przed siebie ręką i wyprostowanym palcem wskazującym. Odczuwaj, że się obracasz, bez odrywania stóp od podłogi. Wyobraź sobie, że dokonałeś o wiele większego obrotu niż poprzednio, a Twój palec sięga o wiele dalej. Odczuwaj to. Otwórz oczy.

Powtórz pierwsze ćwiczenie. Obracaj się swobodnie, tak daleko, jak tylko możesz.

Myślę że ze zdziwieniem zauważysz, że dokonałeś znacznie większego obrotu niż za pierwszym razem, o co najmniej 50%. Stało się to dzięki temu, że zaprogramowałeś swój system nerwowy.

To samo zjawisko zachodzi w momencie, gdy stawiasz sobie cele i czynisz je realnymi w swoim umyśle.

Jeśli wiesz co chcesz osiągnąć w życiu, spróbuj przy pomocy poniższych wskazówek i pytań dążyć do zrealizowania swych planów.

Zastanawiaj się i pytaj samego siebie, bądź przekonany, że wszystko zostanie pozytywnie rozwiązane.

Osiągnę wszystko czego pragnę.

Co mam robić, aby stało się to realne?

Ilu uzyskuje to czego pragnie?

W czym tkwi problem, że nie zawsze udaje się w pełni osiągnąć cel?

Pytam siebie i szukam przyczyny. Pytam i nie znajduję odpowiedzi.

Może pytam w mało inteligentny sposób? Inteligentne pytanie nie może zawierać narzekania, skarżenia się na brak rezultatów, wymyślania, ubliżania innym.

Stawiam jasno sformułowane pytania.

Określam precyzyjnie o co chodzi.

Jestem dokładny, wspomagam umysł, aby przyniósł mi właściwe rozwiązania.

Przekazuję innym moje pragnienia, aby uzyskać od nich pełną pomoc.

Pytam tych, którzy mogą mi pomóc, którzy mają wiedzę i doświadczenie.

Nie oczekuję, że wszystko dostanę, że inni wykonają za mnie cokolwiek.

Pytanie inteligentne polega na znalezieniu i zaspokojeniu potrzeb drugiego człowieka, zanim poprosisz go o pomoc. Dlatego pomyśl, jak możesz zaspokoić potrzeby innych, a dopiero potem pytaj.

W pytaniu musi być wiara, że to o co pytasz, otrzymasz. Jeśli mocno wierzysz w to, co mówisz, Twoja wiara udziela się osobie do której się zwracasz. Musisz pytać, prosić o odpowiedź, tak długo, aż uzyskasz to, czego oczekujesz. Istotna jest droga i sposób w jaki uzyskujesz odpowiedzi. Równie ważne są wyniki końcowe.

Czy zawsz osiągamy cele?

Prawdopodobnie nie. Ale zawsze, bez względu na sytuacje "produkujemy" wyniki w oparciu o nakreślone działania.

Ważnym elementem w procesie osiągania celów, jest zdyscyplinowane zaangażowanie wszystkich zmysłów, do opisu tego, co chcemy zdobyć.

Im bogatszy bądzie zmysłowy opis oczekiwanych wyników, tym bardziej umocnimy umysł do realizowania pragnień.

Poniższe wskazówki ułatwią Ci to.

- Należy stawiać daty przy celach. Będzie nas to dopingowało do osiągania upragnionych efektów.

- Musimy odczuwać, że cele stały się już rzeczywistością. Wówczas umysł i system nerwowy będą podejmowały działania konieczne do tworzenia wyników.

- Podążając do wytyczonego celu musimy umieć odczuwać jego wynik i końcowy rezultat.

- Stawiając cele musimy umieć dostrzegać konsekwencje, jakie wynikną w toku ich realizacji.

Jak tworzyć listę własnych celów?

1. Dokonaj spisu wszystkich rzeczy i marzeń jakich pragniesz. Zapisz kim chciałbyś być, co chciałbyś robić i czym dzielić się z innymi. Stwórz listę ludzi, których pragniesz bliżej poznać. Zanotuj miejsca, które chcesz odwiedzić. Zapisując, nie próbuj się zastanawiać, jak możesz osiągnąć te cele i w jakim czasie. Bądź przekonany, że wszystko co napisałeś zostanie zrealizowane. Zatem pisz jak najwięcej.

Zapisu możesz dokonać na jednej liście lub na kilku kartkach dzieląc na działy, np:
- cele emocjonalne
- cele duchowe
- cele fizjologiczne
- cele finansowe
- cele rodzinne
- cele materialne.

Pamiętaj, że wszystko co planujesz jest osiągalne. Jak również i to, że znajomość wyniku końcowego jest pierwszą pomocą w jego osiągnięciu.

Musisz pozwolić umysłowi pracować bez skrępowania. Jesteś w stanie zmienić wyobrażenia dotyczące Twojej przyszłości.

2. Listy, które przygotowałeś, dotyczą wszystkiego o czym marzysz, czego pragniesz, co chcesz zdobyć, osiągnąć w następnych miesiącach czy latach. Przyjrzyj się zapisanym celom i zastanów się, kiedy będziesz zdolny zrealizować każdy z nich. Zapisz obok każdego celu datę, ale nie zastanawiaj się zbyt długo. Stwórz ramy czasowe dla własnych zamierzeń.

Przyjrzyj się temu. Przy celach krótkoterminowych zastanów się jakie, masz możliwości i potencjał do ich zrealizowania. Do celów długofalowych dopisz etapy działania.

3. Znajdź wśród zapisanych celów pięć najważniejszych dla siebie. Zapisz je na oddzielnej kartce i dopisz, dlaczego chcesz je osiągnąć. Motywacja okaże się bardzo ważnym ogniwem w uzyskaniu zaplanowanych zadań. Będziesz zainteresowany, całkowicie oddany sprawie, jaką podejmujesz do realizacji.

Istnieje wiele rzeczy, których pragniemy, ale jesteśmy nimi zainteresowani tylko na krótki okres czasu. Aby dojść do celu musimy całkowicie oddać się działaniu bez względu na piętrzące się trudności. Zaangażować w sprawę serce i umysł.

4. Przyjrzyj się swoim głównym celom i zastanów się:
- Czy są one pozytywne?
- Czy są wyraźnie i jasno sprecyzowane?
- W jaki sposób będziesz dochodził do poznania wyników?
- Co będziesz czuł, słyszał i widział przy realizacji zadań?
- Czy to, co będziesz robił, zostanie zaakceptowane przez innych ludzi?
- Czy Twoje działania będą pasowały do sytuacji?

5. Zastanów się czym dysponujesz, jakie masz "narzędzia" do osiągania celów.

Sporządź kolejną listę tego co posiadasz:
- Cechy charakteru.
- Przyjaciele, którzy mogą służyć Ci pomocą.
- Zasoby finansowe.
- Wykształcenie.

- Czas i miejsce.
- Energia, zdrowie, itp.
  I tak na przykład Twoimi narzędziami przy osiąganiu celów mogą być:
- Znajomość psychologi człowieka.
- Życzliwość dla ludzi.
- Umiejętność kontaktowania się z ludźmi.
- Doświadczenie życiowe.
- Wiara w dobro.
- Kapitał zaufania do ludzi oraz u ludzi.
- Szeroki zakres zainteresowań.
- Zdolność wyciągania wniosków.
- Zdobywanie przyjaźni.
- Sukcesy.
- Zabezpieczenie finansowe.
- Wiedza ogólna.
- Umiejętność przekazywania wiadomości.
- Dobra kondycja psychiczna i fizyczna.
- Świadomość własnych ujemnych cech charakteru: lenistwo, odkładanie spraw na później, brak systematyczności, itd.

6. Na pewno osiągnąłeś do tej pory liczne sukcesy. Napisz, co szczególnego zrobiłeś dążąc do nich. Jakie cechy charakteru umożliwiły dokonanie tego.
   Koncentruj się na własnych osiągnięciach, uczyń je wyraźnymi, jasnymi i ważnymi.

7. Zastanów się, jakie zmiany, powinny dokonać się w Twojej osobowości, abyś mógł osiągnąć wszystkie zamierzenia.
   Może brak Ci dyscypliny wewnętrznej lub powinieneś zgłębić wiedzę przydatną do realizacji dążeń? A może nie potrafisz racjonalnie gospodarować czasem?
   Wiele słyszymy o sukcesach, ale nie zawsze wiemy co się na nie składa. Na drodze do sukcesu niezbędne są:
- Koncentracja na głównym celu.
- Opanowanie lenistwa.
- Planowanie dnia, tygodnia, miesiąca.
- Wiara w siebie.
- Odpowiedzialność za życie.
- Wytrzymałość, wytrwałość.
- Systematyczność.
- Wyrozumiałość.

- Wyzbycie się próżności.
- Skromność.
- Bezwzględna uczciwość wobec wszystkich.
- Prawdomówność.
- Motywacja do działania.
- Szacunek dla siebie.
- Dbałość o własne środowisko.
- Serdeczność.
- Życzliwość.
- Higiena życia i pracy.
- Ciągłe zgłębianie wiedzy.
- Własne postawy.
- Unikanie pozorów.
- Nie odkładanie rzeczy na później.
- Poważne traktowanie siebie i innych.
- Poszanowanie czasu własnego i czasu innych ludzi, ekonomia działania.
- Codzienna gimnastyka.
- Racjonalne odżywianie.
- Dążenie do ideału.
- Porządek i harmonia w utrzymaniu środowiska.
- Wzbogacanie życia kulturalnego.
- Odbudowa poczucia własnej wartości.

8. Zastanów się, co w obecnej chwili przeszkadza Ci być takim człowiekiem jakim chciałbyś być:
- Brak planu działania.
- Słaba motywacja.
- Nieuporządkowane życie.
- Nieracjonalne gospodarowanie czasem.
- Zawieszenie w próżni.
- Brak wiary w siebie.
- Zniechęcenie do działania.
- Działania pozorne.
- Życie z dnia na dzień.
- Brak kontaktu z ludźmi sukcesu.
- Zadawalanie się byle czym.
- Złe samopoczucie.
- Unikanie ludzi.
- Brak ruchu, świeżego powietrza.
- Zaniedbana korespondencja.
- Lenistwo duchowe i fizyczne.

- Zmęczenie psychiczne.
- Brak radości twórczej.
- Pesymistyczne myśli.

Jeśli chcesz odnieść sukces musisz wiedzieć do czego dążysz i dlaczego. Twoja uwaga musi być skierowana na akcję, działanie. Do tego potrzebny jest plan.

Kiedy budujemy dom nie rozpoczynamy pracy od gromadzenia młotków, pił, gwoździ, drewna, itd, ale od zrobienia planu całej budowli.

9. Zastanów się nad każdym zapisanym celem, a następnie dopisz obok kolejne działania zmierzające do realizacji, krok po kroku.

Zapisz, co przeszkadza Ci w osiągnięciu zamierzeń. Co możesz zrobić, aby zmienić sytuację na korzystną dla siebie.

Koncentruj się na tym co możesz zrobić dzisiaj i zabierz się natychmiast do działania.

10. Znajdź wzorzec, model do naśladowania. Może to być ktoś z Twojego najbliższego otoczenia, człowiek sukcesu, bohater z powieści. Zapisz co najmniej trzy nazwiska. Określ wyraźnie wartości tych ludzi.

Zastanów się czy osoby te zapytane o receptę na sukces zdolne będą Ci ją zaoferować. Wyobraź sobie, że tak. Zapisz główną myśl każdego z nich. Zastanów się co mógłbyś usłyszeć. Przyjmuj wszystkie rady, wskazówki. Staraj się je zrozumieć. Nie wstydź się korzystać z doświadczeń ludzi sukcesu. Zyskasz na czasie w drodze do upragnionego celu. Nie będziesz błądził.

11. Cele twoje powinny się zazębiać i wzajemnie wspierać. Powinny być ambitne. Stwórz sobie "schemat idealnego dnia", aby praca przebiegała sprawnie i dokładnie.

Tworząc "idealny dzień" musisz zaprogramować działania związane z realizacją celów, dążeń. Umieścić w nim ludzi, z którymi będziesz miał kontakt. Przewidzieć swoje zachowania, uczucia, od momentu przebudzenia, aż do spoczynku. Zaprogramować czynności w czasie.

Kiedy dzień minie spróbuj dokonać analizy tego, co było. Zauważysz, ile dobrego się wydarzyło, ile zyskałeś przez mądrze zaplanowany dzień.

12. Dla każdego człowieka ważne jest środowisko, w którym żyje i funkcjonuje.

Pierwszym krokiem do sukcesu jest atmosfera, w której działamy. Musi ona karmić i ożywiać naszą twórczość, pomagać w dążeniu do celów. Dlatego musisz zaprojektować sobie idealne środowisko, w którym będziesz rozwijał własną osobowość i realizował marzenia.

Wszystkie zmiany muszą najpierw powstać w Tobie, w Twoim mózgu. Później będziesz je łatwo realizował.

Droga do sukcesu często wymaga wytężonej pracy. Projektowanie życia, tworzenie wspaniałych wizji przyszłości jest rzeczą o wiele trudniejszą niż samo koncentrowanie się na utrzymaniu przy życiu.

Wszyscy mamy jednakowe możliwości do uczynienia naszego życia lepszym i bogatszym, do osiągania wspaniałych celów. Musimy działać konsekwentnie i z uporem.

William Shakespeare napisał: "Działanie jest elokwencją".

Zacznij działać już od teraz, a wyniki będą widoczne wkrótce.

SCHEMAT: OD MARZEŃ DO SUKCESU.

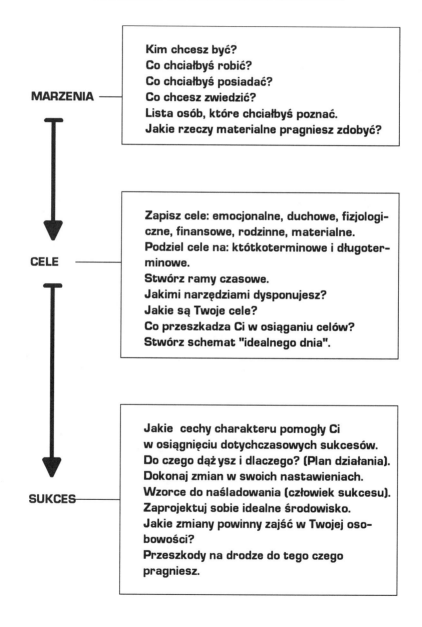

MARZENIA

Kim chcesz być?
Co chciałbyś robić?
Co chciałbyś posiadać?
Co chcesz zwiedzić?
Lista osób, które chciałbyś poznać.
Jakie rzeczy materialne pragniesz zdobyć?

CELE

Zapisz cele: emocjonalne, duchowe, fizjologi-
czne, finansowe, rodzinne, materialne.
Podziel cele na: któtkoterminowe i długoter-
minowe.
Stwórz ramy czasowe.
Jakimi narzędziami dysponujesz?
Jakie są Twoje cele?
Co przeszkadza Ci w osiąganiu celów?
Stwórz schemat "idealnego dnia".

SUKCES

Jakie cechy charakteru pomogły Ci
w osiągnięciu dotychczasowych sukcesów.
Do czego dąż ysz i dlaczego? (Plan działania).
Dokonaj zmian w swoich nastawieniach.
Wzorce do naśladowania (człowiek sukcesu).
Zaprojektuj sobie idealne środowisko.
Jakie zmiany powinny zajść w Twojej oso-
bowości?
Przeszkody na drodze do tego czego
pragniesz.

"Przychodzi taki czas, kiedy trzeba podjąć decyzję i działać. Wtedy już nigdy nie należy spoglądać wstecz".

W. Phillips

6. SUKCES NIE JEST SPRAWĄ PRZYPADKU

Fundamentem sukcesu jest siła motywacji i wytrwałość. One to rodzą powodzenie. Osobista siła, wytrwałość, to zdolności działania, czynu i podejmowania decyzji.

Ludzie obdarzeni tymi cechami, każdego dnia zamieniają marzenia w rzeczywistość.

Sukces jest tym, co daje się wyprodukować. Jest on tak namacalny, widoczny, użyteczny i wartościowy, jak każdy inny przedmiot.

Sukces pozostawia ślady. Ludzie, którzy osiągnęli wymarzony cel, idą dalej i korzystają z nabytych już doświadczeń. Budują na nich ciągle coś nowego.

Jeśli tylko podpatrzysz działalność tych ludzi i spróbujesz tego samego, osiągniesz wspaniałe rezulaty. Każdy z nas chciałby uzyskać pełnię swoich potencjalnych możliwości. Trzeba wyzbyć się ograniczeń. Zamienić strach w moc działania. Nauczyć się modelowania (odtwarzania tego co inni robią) i powtarzania sukcesu we wszystkich dziedzinach życia. Posiąść umiejętność kierowania umysłem, panowania nad własnym losem, znajdywania wspólnego języka ze wszystkimi napotkanymi ludźmi. Wprowadzić siebie, w pozytywny stan duchowy, bez względu na warunki i okoliczności w jakich się znajdujemy.

Sukces nie jest przypadkiem. Jest on dla wszystkich dostępny. Musisz się nauczyć korzystnego używania mocy umysłu i ciała.

Jak oddziaływać na umysł i ciało, aby osiągnąć efekty? Musisz nauczyć się zmieniać swe stany emocjonalne w zależności od sytuacji i potrzeby. W ten sposób zdobędziesz ważną umiejętność programowania słowno-neurologicznego. Dzięki temu wpłyniesz na swe zachowanie, na system nerwowy, swój głos, mimikę, ruchy, oddech, itd.

Ale jeśli już dojdziesz do sukcesu nie możesz spocząć, nie możesz lekceważyć tego co osiągnąłeś, nie wolno pogardzać ludźmi.

Znałem człowieka, który w bardzo młodym wieku, nawet bez większego wysiłku, osiągnął wyżyny finansowe. Tak długo, jak działał, zbierał sukcesy. Ale nadszedł moment, że wkradło się w jego życie lenistwo, alkohol, lekceważenie i pogarda dla innych. Zaczął zaniedbywać swe obowiązki.

Cztery miesiące takiego sposobu życia spowodowały ruinę finansową i duchową. Nadeszło na szczęście opamiętanie. Ten młody człowiek zaczął się zastanawiać co przyniosło mu tak dużą klęskę. Sięgnął do wiedzy jaką posiadał, do doświadczeń. Zaczął obserwować siebie i ludzi sukcesu. Zbierał o nich informacje, o ich działalności. Zrozumiał, że kluczem do sukcesu jest własna moc, która wyzwala działanie. Ustalił sobie cele. Miał jasny wyraźny obraz tego, do czego chciał podążać, a co najważniejsze, wiedział dlaczego chce to wszystko robić. To pozwoliło mu wkroczyć ponownie na drogę sukcesu.

Kiedy spoglądamy na ludzi sukcesu często zazdrościmy im. Mówimy, że mają szczęście, specjalny talent, dar, itd. Czy tak jest naprawdę?

Wielu osiągnęło sławę i zaszczyty dzięki swej mozolnej, wytrwałej pracy, poprzez twórczą działalność. Wzrastali w trudnych warunkach materialnych, nie posiadali wybitnych uzdolnień. A więc co?

W nich tkwiła moc, która budziła chęć działania. Byli wytrwali, uparci, energiczni. Mieli cele i jasno sprecyzowaną motywację.

Andrew Carnegie - rekin branży stalowej, zaczynał od 4 dolarów tygodniowego wynagrodzenia.

John D. Rockefeler - jeden z najbogatszych ludzi świata, zaczynał od 6 dolarów tygodniowego zarobku.

Henry Ford - jego pierwsza tygodniówka wynosiła 2.5 dolara.

Thomas A. Edison - zaczynał jako gazeciarz, później największy wynalazca świata. Do sukcesu doszedł poprzez liczne doświadczenia i niepowodzenia.

Elias Howe - wynalazca maszyny do szycia. Początkowo nie było zainteresowania tym wynalazkiem. Dotknęło go wiele nieszczęść: śmierć żony, pożar warsztatu. Nie załamał się. Dążył do celu. Wierzył w sukces. Zmagania trwały 12 lat. Został milonerem.

Za przykład może służyć "pułkownik" Sanders. Jest to znane nazwisko. W każdym większym mieście USA są zlokalizowane restauracje szybkiej obsługi "Kentucky Fried Chicken" sprzedające doskonałe smażone kurczaki. Założycielem ich był "pułkownik" Sanders. Jak do tego doszło?

Człowiek ten w wieku 65 lat przeszedł na emeryturę. Otrzymał pierwszy czek - 99 dolarów. Trudno byłoby utrzymać się przy życiu za taką sumę. Nie miał większych zasobów finansowych. Zaczął szukać drogi do polepszenia sytuacji. Na myśl przyszła mu wspaniała recepta przyrządzania smażonych kurczaków - sekret rodzinny. Wiedział, że ludzie przepadali za takimi kurczakami. Rozwinął swój pomysł. Postanowił sprzedawać przepis właścicielom restauracji, w zamian za procent od zwiększonych obrotów. Rozpoczął wędrówkę. Pukał do drzwi wielu restauracji, ale nie znajdował chętnych.

Każde spotkanie bogaciło go o nowe doświadczenia. Zaczął doskonalić prezentację przepisu na przyrządzanie kurczaków. Jego oferta stawała się bardziej atrakcyjna. Otrzymał 1009 negatywnych odpowiedzi. Dopiero 1010 propozycja zyskała aprobatę. Doszedł do tego dzięki swej postawie. Był uparty. Posiadał zdolności panowania nad własnymi emocjami, nie zrażały go odmowy. Umiał komunikować się z ludźmi. Wiedział do czego zdąża i co może osiągnąć. To wszystko doprowadziło go do wymarzonego celu i poprawy własnego bytu.

Pomysł jest początkiem rzeczywistości.

Można go zmieniać i modyfikować w procesie rozwoju i doskonalenia. Istnieje niezmienne prawo przyczyny i skutku. Pomysł jest przyczyną, a to co dzięki niemu powstaje, jest skutkiem i rzeczywistością.

Nigdy nie odrzucaj żadnego pomysłu, dopóki nie sprawdzisz możliwości jego wykonania.

Pomysł jest początkiem sukcesu. Pomysły oznaczają postęp. Każdy nowy stwarza podstawy do kolejnego sukcesu, a także do większej liczby pomysłów.

Pomysły należy zapisywać, można je głośno powtarzać, prezentować w sposób przekonywujący innym ludziom.

Oto sprawdzona metoda osiągania sukcesu, zalecana przez jednego z największych biznesmenów świata, Williama M. Scholla:

" Musisz zacząć pracować nad pomysłem, gdy tylko pojawi się w Twojej głowie. Jeśli będziesz czekał na idealny moment i miejsce do pracy nad nim, to zapewne nigdy ich nie znajdziesz. Kiedy tylko wpadniesz na jakiś pomysł, od razu go wypróbuj. Lepiej jest od razu się upewnić, że pomysł jest do niczego, niż nic z nim nie robić i zastanawiać się czy jest dobry."

Nie "przetrzymuj" żadnego pomysłu, bo to blokuje swobodny przepływ innych, normalnie układających się w cały łańcuch.

Swoje pomysły wystawiaj na działanie opinii ekspertów, bez względu na to, czy będzie ona przychylna, czy nie. Nie odrzucaj sugestii i krytyki.

Droga do sukcesu jest podobna do biegu z przeszkodami. Musisz nauczyć się przezwyciężać trudności.

Ważną rolę odgrywa umiejętność porozumiewania się zarówno z samym sobą, jak i z otoczeniem. W zależności od umiejętności komunikowania się będziesz przeżywał różne doświadczenia w umyśle.

Amerykański komandor lotnictwa marynarki wojennej dostał się do niewoli podczas wojny w Wietnamie. Spędził 7 lat w odosobnieniu. Był to dla niego trudny okres. Stoczył wiele wewnętrznych walk. Wyszedł z tego pełen sił witalnych, radości życia, wiary w siebie i swoją moc. Dokonał tego dzięki komunikowaniu się ze sobą. Mimo, że przeżywał wiele stresów, kłopotów postanowił o tym nie myśleć. Tworzył w umyśle same dobre rzeczy. Poznawał siebie. Miał na to dużo czasu. Panował nad emocjonalnymi stronami swego życia. Rozmawiał często z Bogiem. Pracował nad ciałem, aby było sprawne. Tworzył w umyśle różne jasne, dobre obrazy przyszłości. Koncentrował się na tym co najlepsze. Był pełen spokoju. Do jego celi wrzucano zdechłe i żywe zwierzęta, obrzydzano mu życie. Nic nie zdołało złamać tego człowieka.

Dzięki temu, że odkrył umiejętność porozumiewania się ze sobą, przetrwał najtrudniejsze chwile. Zmienił się przy tym zupełnie. Po wyjściu z niewoli powiedział, że zdobytych doświadczeń nie zamieniłby na żadne inne i że była to najważniejsza i największa próba w jego życiu.

Spotykamy ludzi, którzy odnieśli ogromne sukcesy ekonomiczne, wspaniałe kariery, a wcale nie byli szczęśliwi.

To ludzie sukcesów zewnętrznych. Przeżyli wiele problemów osobistych, nierzadko dramatów. Umieli komunikować się ze światem zewnętrznym, dzięki temu odnieśli sukcesy. Nie potrafili nawiązać kontaktu ze sobą i to było ich klęską. Do takich osób można zaliczyć między innymi: Johna Belushiego, Elvisa Presleya, Marlin Monroe.

Porozumiewanie się ze sobą nie jest łatwe. Musisz starać się zrozumieć swoje ciało, mimikę twarzy, gesty. Wówczas będziesz w stanie zaprogramować umysł. To doprowadzi Cię do tego, że będziesz przyjmował rzeczy powodujące depresje i przekształcał na nowe reakcje w systemie nerwowym. Zaczniesz radzić sobie w każdej sytuacji w jakiej się znajdziesz.

Każdy z nas pragnie w życiu co najmniej dwóch rzeczy: sukcesu i szczęścia. Do osiągnięcia tego są potrzebni ludzie.

Badania naukowe udowodniły, że jeśli posiądziesz umiejętność postępowania z ludźmi, to osiągniesz 85% zaawansowania na drodze do sukcesu w każdym interesie, zajęciu, czy zawodzie, a 99% na drodze do szczęścia osobistego.

Instytut technologii im. A. Carnegie przeanalizował akta personalne dziesięciu tysięcy pracowników z różnych dziedzin. Wyniki są zaskakujące. Okazało się, że 15% sukcesów osiągnięto dzięki wykształceniu technicznemu, zdolnościom umysłu, umiejętnościom organizacyjnym, zaś 85% było wynikiem czynników osobowości, zdolności skutecznego porozumiewania się i postępowania z ludźmi.

Z czterech tysięcy osób, które straciły pracę, tylko 10% zostało zwolnionych, bo nie wywiązywali się należycie ze swoich obowiązków. 90% zwolniono ponieważ nie potrafili się odpowiednio kontaktować z innymi i nie rozwijali własnej osobowości.

Spotykamy ludzi nieśmiałych, zażenowanych, niepewnych, mających trudności w nawiązaniu kontaktów towarzyskich. Często odczuwają swą niższość. Nie zdają sobie sprawy, że ich problem jest wynikiem nieumiejętnego nawiązywania znajomości, prowadzenia rozmów, itd.

Są też ludzie reprezentujący odmienny typ. Pewni siebie, apodyktyczni, narzucający swą wolę innym w miejscu pracy, w domu, w towarzystwie. Dziwią się dlaczego nie są doceniani i nie cieszą się dobrą opinią, brakuje im ludzi do współpracy. To znów ten sam problem. Nie nauczyli się sztuki umiejętnego postępowania i współżycia z osobami z najbliższego otoczenia.

Jak zwrócić na siebie uwagę i umiejętnie kontaktować się bezpośrednio z ludźmi?

Zanim wejdziesz na jakiekolwiek spotkanie czy przyjęcie zatrzymaj się na chwilę i przyjmij postawę człowieka, który zna i lubi wszystkich obecnych. Wejdź i każdemu kto spojrzy w Twoją stronę przesyłaj miły uśmiech poznania i przyjacielskie skinienie głowy na powitanie.

Niech każdy się dowie i poczuje, że go lubisz. Rób to bez względu na to czy znasz tych ludzi czy nie. Niech to oni się zastanawiają, dlaczego nie pamiętają Ciebie. Dzięki temu nie tylko Cię zauważą, ale zaczną o Tobie myśleć i spróbują Cię zapamiętać.

Rozmawiaj uprzejmie z każdym, kto znajdzie się obok Ciebie, jakbyście byli od dawna dobrymi znajomymi. Ale nie postępuj zbyt śmiało, a raczej przypadkowo i swobodnie.

Wkrótce każdy z obecnych zacznie myśleć, że albo Cię zna, albo będzie chciał Cię poznać.

W ten sposób zostaniesz zauważony, poznany i będziesz lubiany.

Aby Twoje kontakty z ludźmi były owocne i przyjemne zastosuj swój magnetyzm osobisty.

Magnetyzm osobisty człowiek tworzy wewnątrz siebie. Potem wzmacnia go, aż do osiągnięcia "ciepła osobistego". To wewnętrzne ciepło niejako przenosi się na zewnątrz, dając wrażenie owiania "ciepłem zewnętrznym". I to właśnie ono przyciąga innych ludzi.

Naucz się patrzeć prosto w oczy, by wydobyć magnetyczną siłę kontaktu wzrokowego.

Naucz się mówić "językiem oczu".

Naucz się uśmiechać oczami.

Naucz się eksponować własny głos poprzez oczy.

Naucz się wytwarzać ciepło wewnętrzne, by móc promieniować ciepłem zewnętrznym.

Oczy mają wielkie znaczenie w uzewnętrznianiu magnetyzmu osobistego. Są oknami duszy. Poprzez oczy można przenikać w umysły innych ludzi.

Kontakt wzrokowy nawiązujesz patrząc bezpośrednio i głęboko w oczy drugiego człowieka.

Język oczu jest kodem porozumiewania dzięki któremu magnetycznie atrakcyjne myśli, przekazywane są poprzez oczy do umysłów innych ludzi.

Możesz to wyćwiczyć. Patrz w lustro i oczami mów to, co myślisz np: Lubię cię. Jesteś miły, itd.

Prawdziwy uśmiech ma swój początek wewnątrz człowieka, a nie na jego ustach. Zatem musisz poczuć uśmiech i wyrażać go oczami. Nie myśl o ustach. Oczy rozjaśnią się, będą błyszczały. Linie uśmiechu pojawią się wokół ust. Pojawi się na twarzy naturalny, przyjemny, ciepły uśmiech.

Głos można przekazać z dowolnej części twarzy (usta, oczy, wargi, czoło, gardło). Wystarczy myśleć i czuć że emituje się głos z tego miejsca. Potrzeba trochę ćwiczeń, aby osiągnąć rezultaty.

Ciepło wewnętrzne to połączenie uczuć fizycznych, umysłowych i emocjonalnych.

Powstaje ono, kiedy uczucia są wywołane i zawierają podniecenie, uwagę, radość, oczekiwanie, pewność siebie i promieniowanie emocjonalne.

Trzeba mieć świadomość tworzenia tego uczucia.

W procesie tym powstaje wibrujące napięcie wewnętrzne, czyli osobiste ciepło.

I znów potrzebne są tu ćwiczenia, aby tę umiejętność nabyć. Najpierw wzniecaj uczucia, identyfikuj je. Kiedy uwolnisz ciepło osobiste, wówczas będziesz mógł promieniować ciepłem zewnętrznym.

Kontakty z ludźmi będą Ci pomocne szczególnie kiedy będziesz chciał rady, wskazówek od tych, którzy mają doświadczenia w osiąganiu sukcesu.

Proś, aby przekazywali Ci potrzebne informacje do osiągnięcia sukcesu.

Proś innych, by robili to, co Ty chcesz. Pomoże Ci to szybciej osiągnąć sukces.

Proś, by dawali Ci to, co jest potrzebne do zdobycia sukcesu.

Pytania i proszenie prowadzą prosto do sukcesu. Zatem proś i pytaj. Proś a otrzymasz, pytaj a dowiesz się.

Proś o cokolwiek, ludzie bowiem znajdują przyjemność w przysługiwaniu się innym, jeśli prosi się ich uprzejmie, w odpowiedni sposób. Kiedy podziękujsz i okażesz wdzięczność, z całą pewności pomogą Ci następnym razem.

Pytając, zgłębiasz swoją wiedzę o ludziach i miejscach. Wszystko co nieznane budzi w człowieku obawy, a równocześnie odsuwa od sukcesu.

Ludzi popycha pragnienie czucia się ważnymi. I dlatego kiedy prosisz i pytasz, to osoba udzielająca odpowiedzi, ma poczucie, że jest kimś ważnym dla Ciebie, czy dla sprawy.

Możesz spotkać ludzi, którym nie zależy na prestiżu i od nich nie otrzymasz odpowiedzi. Nie przejmuj się tym. Zignoruj ich i dalej pędź swoją drogą do sukcesu.

Ale jeśli prosisz, to rób to z uśmiechem, z nadzieją, przekonywująco, delikatnie, z nastawieniem pozytywnym, zdecydowanie, racjonalnie. Nigdy nie używaj słowa "żądam".

Kiedy spotka Cię niepowodzenie, to pamiętaj, że onacza ono tylko kolejny krok do celu. Sukces uzależniony jest w znacznej mierze od potknięć, upadków i podnoszenia się. Niepowodzenie jest nieuniknioną koniecznością i pożyteczną częścią procesu stawania się człowiekiem sukcesu.

Zapamiętaj, że nie musisz osiągać sukcesów nieustannie, lecz tylko wystarczająco często.

Sukces nie jest uzależniony od tego, gdzie teraz jesteś, lecz od tego dokąd pójdziesz.

Sukces nie jest uzależniony od tego, kim obecnie jesteś, lecz kim się staniesz.

Sukcesu nie można osiągnąć bezczynnością, nie myśląc i nie pracując.

Myśli budują ludzką osobowość, charakter i życie. "Jak człowiek o sobie myśli takim się staje" - cytat z Bibli.

Myśli określają, kim człowiek jest i kim będzie. Są źródłem osobowości i najważniejszym źródłem osiągania sukcesu.

Marek Aureliusz - władca starożytnego Rzymu i filozof, powiedział: "Życie jest takim jakim czynią je nasze myśli".

Wiliam Pulmer zaś powiedział: "Myśli nawet bardziej niż zewnętrzne działania ujawniają charakter człowieka".

Myśli, są w stanie obdarzyć człowieka darami szczęścia i przyjemności. Przyjemność myślenia chyba najtrafniej określił znany prawnik minionego pokolenia, John Foster: "Najwspanialszą rzeczą na świecie są pogodne myśli. Prawdziwą sztuką jest mieć ich w życiu jak najwięcej".

Człowiek staje się zawsze kimś na wzór swoich myśli.

Myśli, to inaczej obrazy umysłowe. Tworzą one odpowiadające im zmiany fizyczne.

Fakt ten został już dawno stwierdzony i stał się kamieniem węgielnym myśli filozoficznej, którą najlepiej sformułował Spinoza: "Gdy coś zdarza się w umyśle, zdarza się również w ciele. Zjawisko to nosi nazwę paralelizmu psychofizycznego i oznacza, że umysł i ciało funkcjonują równolegle, ponieważ są dwoma aspektami tej samej substancji, którą wielu ludzi nazywa Bogiem, czyli wszystkim".

Bez względu na wiek kalendarzowy, myśl w kategoriach młodości i żyj, jak człowiek młody.

Tworzenie obrazów umysłowych jest odpowiednie dla każdego wieku. Nie mów, że na drodze do sukcesu stają przeszkody typu: starość (taka nie istnieje), ułomność, bieda, nieszczęście, brak wykształcenia, itd.

Wszystko można pokonać dzięki sile woli i umysłu. Zwłaszcza, gdy wspierasz swoje działania sprawdzonymi metodami osiągania sukcesu.

"Idee i wyobrażenia umysłu człowieka stanowią niewidzialną siłę, która stale nami rządzi" - Jonathan Edwards.

Aby nie być gołosłownym przytoczę kilka nazwisk.

- Vanderbilt - zaprojektował i wybudował większość linii kolejowych kiedy miał ponad 70 lat. Zdobył swe miliony, kiedy wielu jego rówieśników odpoczywało na emeryturze.

- Monet - namalował swe znakomite obrazy mając 86 lat.

- Picasso - tworzył swe dzieła jeszcze po 90-tym roku życia.

- Kant - napisał swe wielkie dzieła filozoficzne po 80-tym roku życia.

- Beethoven - do końca życia komponował swe nieśmiertelne symfonie, choć był głuchy. Zmarł mając 57 lat.

- Niewidomy Milton napisał "Raj utracony".

"W żadnym umyśle nie ma takiej myśli, która nie zmieniłaby się w siłę" - Emerson.

W osiąganiu sukcesu niezmiernie pomocna jest metoda monotonnego powtarzania. Polega on na częstym powtarzaniu na głos lub w myślach swego marzenia w postaci sloganu, np: Jestem milionerem. Jestem szczupły. Kupiłem samochód, itp.

Metoda ta wzmacnia wiarę w osiągnięcie celu, pomaga koncentrować myśli i wyobrażać własne przekonania.

"Wielkie czyny są wynikiem pracowitości i wytrwałości" - mówił Bacon.

Na zakończenie podam kilka haseł, myśli, które pomogą Ci w szybszym osiągnięciu sukcesu.

1. Opracuj własną charakterystykę.

Bądź szczery ze sobą. Skoncentruj się na pozytywnych cechach, nie pomijaj słabych stron charakteru.

2. Nie obawiaj się porażek.

Nie sposób iść przez życie i nie doznawać porażek. Porażka jest nauczycielem, często surowym, ale też najlepszym. Idź do przodu, nie przejmuj się błędami. Sukces znajdziesz po drugiej stronie porażki.

W Teksasie prawdziwym testem dla kowboja jest nie to, ile razy spadnie z konia, ale ile razy na niego wsiądzie.

3. Skup się na teraźniejszości i przyszłości.

Nie martw się problemami. Pozbądź się poczucia winy i zbędnego obciążenia psychicznego. Zmartwienia budzą wątpliwości, a te z kolei inercję. Nie pozwól, aby przeszłość zatruwała Twoją obecną chwilę i przyszłość.

4. Aby wygrać musisz ustanowić reguły gry.

Jeśli chcesz ustanowić reguły musisz poznać te, które już są. Dokonasz tego na drodze analizy. Odnajdziesz sposoby, dzięki którym, ludzie odnieśli sukcesy. Musisz stać się uczniem sukcesu, a potem dopasować wiedzę do siebie.

Te nowe reguły będą odzwierciedlały Twoją osobowość, Twój system wartości.

Ernest Hamingway napisał: "Aby złamać reguły musisz najpierw je znać".

Wybitny eseista, Ralph Waldo Emerson stwierdził: "Kiedy masz wątpliwości zaufaj sobie".

5. Sukces jest jednocześnie łatwy i trudny.

Sukces i szczęście są wynikiem poznania pewnych zasad życiowych, ale nigdy nie będziemy mogli opanować ich do perfekcji. Możemy zbliżyć się do doskonałości. Wobec tego nasze poszukiwania nigdy nie będą miały końca.

6. Rób, to co jest konieczne.

Nie przejmuj się tym co mogą o Tobie myśleć inni. Zapomnij o "łatach na swoich spodniach". Nie martw się, że dzisiaj nie stać Cię na piękny dom lub nowy samochód. Bądź przygotowany na wszelkie wyrzeczenia potrzebne na drodze do sukcesu. Twoje dzisiejsze wysiłki zaowocują już jutro.

7. Pracuj wytrwale i działaj zdecydowanie.

Wkładaj w to, co robisz, swoje serce. Pracuj mądrze, dokładnie, szybko i efektywnie. Nie pogardzaj żadną pracą. Podejmuj decyzje odważnie. Nie stój w miejscu. Do każdego działania można wnieść poprawkę. Jeśli masz problem trudny do rozwiązania, zwróć się o pomoc do fachowca w tej dziedzinie. Podejmując działanie skoncentruj się na tym, co chcesz robić i co pragniesz osiągnąć.

8. Zaczynaj od podstaw.

Najlepszym sposobem na rozwijanie i budowanie biznesu jest działanie krok po kroku. Idąc powoli po szczeblach w górę więcej osiągniesz, niż wzlatując od razu na szczyt. Do tego niebędne są dyscyplina i systematyczność.

9. Dobre wyczucie czasu.

W biznesie poczucie czasu ma kolosalne znaczenie. Musisz być w odpowiednim czasie, na odpowiednim miejscu i być przygotowanym do działania.

10. Problemy i szanse.

"Kryzys" w języku chińskim znaczy "szansa". Tylko w sytuacjach trudnych sprawdza się siła człowieka. Odkrycie prawdziwego charakteru partnera wymaga czasu. Dopóki nie przejdziesz przez kryzys razem ze swoim partnerem, dopóty nie możesz powiedzieć, że się nawzajem znacie.

11. Włoskie finansowanie.

Jeśli zdecydujesz się na otwarcie biznesu, to nie rozpoczynaj od zaciągania pożyczek w banku. Zwróć się o pomoc finansową do rodziny, przyjaciół, potencjalnych klientów, itd.

Wybieraj uczciwych przyjaciół, bo na nich będziesz mógł zawsze liczyć.

Angielski duchowny Robert Hall powiedział: "Kto zdobył rozumnego i współczującego przyjaciela, ten podwoił swe zasoby".

12. Rób więcej niż to za co Ci płacą.

Kiedy robisz więcej ponad to, za co Ci płacą, na pewno szybko zostaniesz zauważony i doceniony. Ale jeśli zdarzy się, że robisz więcej, a Twój przełożony tego nie zauważa, to oszczędź wysiłku albo zmień miejsce pracy.

13. Podpory i zachęty szukaj w sobie, a nie w innych.

Stwierdzono, że już pięcioletnie dziecko zostaje zaprogramowane "taśmami" trwającymi ponad 25 tysięcy godzin. Większość z nich zawiera negatywne informacje: nie ruszaj, tego nie wolno robić, ale z ciebie ofiara, skąd ci przyszedł do głowy taki głupi pomysł?, i tak ci się to nie uda, itd, itd.

Te informacje są ciągle odtwarzane w naszej pamięci i wzmacniane słowami rodziców, opiekunów, troskliwych przyjaciół.

Stanowi to ogromną przeszkodę w osiąganiu celów. Chcąc bez ograniczeń iść do przodu, musisz się wyzbyć negatywnych nastawień, myśli. Musisz przeprogramować swój system nerwowy. Wierzyć, że wszystko co robisz ma sens i uda Ci się.

14.Bądź wierny swojej wizji.

Niemal każdy z kim podzielisz się swoimi marzeniami, będzie chciał je w jakiś sposób zmienić. Nie próbuj jednak iść na żaden kompromis, nie zmieniaj pomysłu. To jest Twoja wizja i Ty wiesz najlepiej jak ją realizować. Potraktuj uwagi z humorem.

"Myśl w kategoriach sukcesu, wyobrażaj go sobie, a wprawisz w ruch moc dającego się zrealizować pragnienia. Kiedy obraz umysłowy (lub postawa) będzie utrzymywany wystarczająco mocno, to w rzeczywistości będzie sprawować kontrolę nad warunkami i okolicznościami" - Norman Vincent Peale

15. Zgadzaj się z ochotą na poręczenie własną osobą.

Kiedy dochodzisz do sfinalizowania transakcji połóż na stół wszystko co masz. Przecież jest to Twoja inwestycja. Dlaczego nie zaryzykować? Masz przecież niewiele do stracenia. Po osiągnięciu sukcesu zabezpiecz się, a Twoim wierzycielom pozwól podjąć dalsze ryzyko. Zrobiłeś to, co do Ciebie należało, poświadczyłeś swoją osobą i w ten sposób zmniejszyłeś ich ryzyko.

Jeśli możesz tego unikać, nie wchodź nigdy w kontakty z partnerami ze względu na ich pieniądze. Bierz pod uwagę inteligencję i znajomość rzeczy.

16. Najtańsze nie zawsze jest najlepsze, a ludzie tak naprawdę cenią sobie jakość.

Naokoło jest tak wiele tandety, że jakość i usługi liczą się dzisiaj bardziej niż kiedykolwiek przedtem.

Ludzie znudzeni są lichymi towarami i wolą zapłacić więcej za lepszą jakość czy usługę.

Dlatego jeśli podejmujesz się wykonania czegokolwiek zrób to najlepiej.

17. Jeśli masz czarny lub żółty kolor skóry, albo braki w znajomości języka, nigdy nie zdołasz pokonać uprzedzenia bycia "tak dobrym" jak każdy tutaj.

Prawdą jest, że musisz być lepszy. Nie jest to sprawiedliwe, ale to fakt.

18. Źródłem najgorszych doświadczeń jest brak ukierunkowania.

19. Nie spuszczaj wzroku.

Kiedy prowadzisz bezpośrednią rozmowę patrz prosto w oczy rozmówcy i uśmiechaj się. Pomaga to w zawarciu znajomości i ułatwia rozmowę.

20. Postawienie sobie ważnego celu powoduje silne zaangażowanie w sprawę. Powstaje chęć działania i siła napędowa.

21. Jeśli zaangażowanie jest silnikiem, to publiczne uznanie staje się paliwem.

Bez względu na sukces czy też pozycję w życiu, każdy potrzebuje aprobaty, aplauzu ze strony innych ludzi, często znaczących w środowisku.

Jeśli jesteś szefem, nie żałuj pochwał dla pracowników za dobrze wykonaną pracę. Znajdź sposób, aby to zrobić publicznie.

22. Zdobądź wykształcenie i rozwiń w sobie nawyki czytania i samokształcenia.

Jest to jedyna droga do tego, aby wiedzieć co dzieje się na świecie, aby poszerzać horyzonty myślenia i stać się bardziej interesującym.

23. Samodyscyplina.

Dyscyplina, to cecha osobowości, która gwarantuje sukces. Jej brak sprowadza niepowodzenie. Bez dyscypliny wewnętrznej nie osiągniesz wartości do których dążysz.

Jeśli stawiamy przed sobą cele, to musimy wyznaczyć termin ich realizacji i tego przestrzegać.

24. Utrzymuj się tylko z części tego co zarabiasz.

Jeśli nie będziesz oszczędzał, nigdy nie uwolnisz się od zmartwień, nigdy nie będziesz szczęśliwy, nigdy nie odniesiesz sukcesu.

W dniu, w którym zaczniesz oszczędzać, poczujesz się pewniej i wejdziesz na właściwą drogę sukcesu.

7. WŁASNA POSTAWA DROGĄ DO SUKCESU

Dużym problemem dla wielu ludzi jest negatywne i mgliste wyobrażenie o sobie.

Jeśli chcesz odnosić sukcesy musisz uwierzyć, że jesteś zdolny do ich osiągania, gotowy do realizacji marzeń. Musisz wierzyć w siebie, wówczas będziesz rósł i ludzie zaczną się z Tobą liczyć.

Prezydent Wilson Woodrow powiedział: "Wzrastamy do wielkości przez nasze marzenia".

Są wśród nas i tacy, którzy pozwalają marzeniom umierać, ale są i tacy, którzy utrzymują je przy życiu i doprowadzają do światła, do słońca.

Sukcesy przychodzą do ludzi mających nadzieję, wiarę, że ich marzenia i pragnienia spełnią się. W wierze jest siła.

Nie wolno koncentrować się na tym czego nie masz, ale trzeba podążać do tego co pragniesz.

Sukces jest decyzją i dlatego mów: **zrobię, osiągnę, zdobędę.** Jasno określ sobie dokąd zmierzasz i w jakim celu.

Szansa leży w Twoich własnych postawach i nastawieniach. Czy nie słyszysz czasem ludzi mówiących: "Gdybym był młodszy podjąłbym się czegoś, jakiegoś ryzyka, itd. Wiek nie ma wpływu - jak już pisałem - na podejmowanie działań. Utarło się powiedzenie, że przeciętny Amerykanin umiera w wieku 21 lat, a pochowany jest, gdy ma 65 lat. Ludzie tracą, odrzucają marzenia, pragnienia, cele i żyją jak umarli.

Ciągle powinieneś dążyć do czegoś konkretnego, określonego, sprecyzowanego. Działając będziesz zmieniał swój los, swoje życie. Droga do sukcesu wiedzie przez rzetelną, systematyczną pracę i przez upór.

Każdy ma obowiązek pracować nad sobą, nad budowaniem zdrowego i pozytywnego obrazu samego siebie.

Wprowadzanie nowych postaw, zasadniczych zmian w sposobie myślenia musi się stać Twoim pierwszoplanowym zadaniem.

Zmiana postaw jest związana z procesem pozbywania się lęków, z wiarą, ze spokojem wewnętrznym i miłością.

Przystępując do pracy nad sobą weź pod uwagę poniższe stwierdzenia:

1. Istotą bytu jest miłość.

2. Zdrowie daje wewnętrzny spokój. Uzdrawianie jest uwalnianiem od lęków.

3. Jesteś w stanie uwolnić się od przeszłości.

4. Dzień dzisiejszy jest jedynym czasem jaki istnieje dla Ciebie.

5. Naucz się kochać siebie i innych. Przebaczaj, a nie dokonuj sądów.

6. Szukaj miłości i dobrych cech. Wyzbywaj się wad.

7. Buduj wewnętrzny spokoj bez względu na to, co dzieje się na zewnątrz.

8. Jesteś uczniem i nauczucielem dla samego siebie.

9. Koncentruj się na pełni życia, a nie tylko na jego fragmentach.

10. Miłość jest wieczna i dlatego nie przyjmuj śmierci z lękiem.

II. CO POMAGA, A CO UTRUDNIA OSIĄGANIE CELÓW

8. BEZRADNOŚĆ I NIEPEWNOŚĆ OGRANICZAJĄ ROZWÓJ OSOBOWOŚCI

W wielu sytuacjach człowiek czuje się bezradny. Trzeba przeciwdziałać temu gdyż stan taki prowadzi do niszczenia osobowości. Dzieje się tak szczególnie wtedy, kiedy zapominamy, że tylko twórczym postępowaniem i działaniem możemy osiągnąć upragnione cele, budować szczęście własne i innych ludzi.

Któż nie zaznał uczucia bezradności, kiedy został dotknięty nieuleczalną chorobą, lub stracił kogoś bliskiego? Jak wielka powstaje bezradność wobec kataklizmów takich jak: trzęsienie ziemi, powódź, huragan, wybuch wulkanu, czy inne zjawiska w świecie fizycznym.

Bezradność jest rezultatem rezygnacji z możliwości działania, podczas gdy rozwiązania problemów podsuwa nam często intuicja. Intuicja jest drogą, za pomocą której przemawia do nas Opatrzność Boża.

Nie wolno poddawać się bezradności, nawet wówczas, kiedy nie dostrzegamy najmniejszej nadziei na odwrócenie losu. Tylko nieliczne sytuacje mogą pozostać bez rozwiązania. Ale i w takich przypadkach nie może zabraknąć wiary i nadziei. Nie powinno być miejsca na zwątpienie.

Czy może opuścić bezradnie ręce matka, która ma małe dzieci i zostaje sama, bo mąż - ojciec odszedł od niej. Nie i jeszcze raz nie! Matka stawia sobie cele: muszę wychować moje dzieci na wartościowych ludzi, dać im możliwość zdobycia wykształcenia, otoczyć opieką, obdarzyć ciepłem, dać im poczucie bezpieczeństwa i szczęścia.

Matka szuka dróg, które pomogą jej w działaniu i pozwolą osiągnąć cele. Zjednuje sobie wiele życzliwych dusz, które współdziałają z nią, bezinteresownie ofiarowując pomoc.

Pomyśl, co byłoby, gdyby tę kobietę opanowała bezradność, apatia, brak motywacji do działania. Jakiż los spotkał by ją i jej dzieci?

Jak widzisz, w takich momentach zawsze musisz jasno postawić sobie cel i określić, do czego będziesz zmierzał, co chcesz osiągnąć.

Zgoda na uczucie bezradności niszczy psychikę człowieka, powoduje, że tylko narzekamy, obwiniamy, złorzeczymy na swój los, na nieudane życie, na niepowodzenia. Zatracamy wówczas poczucie własnej wartości.

Zastanów się, czy jest to sensowne, czy wolno dopuścić do siebie bezradność i zwątpienie we własne siły?

Zazwyczaj czynią to ludzie słabi, a przecież Ty do nich nie należysz!

Niepewność stanowi barierę w działaniu, w realizowaniu zamierzeń. Obserwujemy ją u większości polskiego społeczeństwa. Jest ona połączona z brakiem bezpieczeństwa, z lękiem o utratę stanowiska pracy, a także z innymi jeszcze czynnikami. Wielu z nas odczuwa zaniepokojenie zmianami ekonomicznymi, politycznymi. Ludzie czują się zagubieni. Nie sprzyja to osiąganu pewności siebie. Rezultatem tego jest złe samopoczucie, które się coraz bardziej pogłębia i zaczyna często działać na zasadzie lustrzanego odbicia - to, czego się najbardziej obawiamy, z całą pewnością ściągniemy na siebie.

Chcąc się zabezpieczyć kupujemy polisy ubezpieczeniowe, składamy oszczędności, zdobywamy tytuły naukowe, podnosimy kwalifikacje, zwiększamy staranność w naszej pracy zawodowej, itd.

Jednakże jeśli wszystkie te zabiegi nie pójdą w parze z zasadą naturalnej harmonii rządzącej wszechświatem, nastąpi znaczne obniżenie samopoczucia i jednocześnie posypią się niepowodzenia w naszych poczynaniach. Wówczas zmusimy się do odmiennego spojrzenia na aktualną sytuację. Jeżeli i teraz nie odczytamy właściwie tych sygnałów i nie zmienimy naszego stosunku do rzeczywistości, to stale będziemy doświadczać narastającego niepokoju, niepewności i przykrości.

Jakie istnieją rzeczywiste rozwiązania dla tak rosnącego i bolesnego doświadczenia?

Zasada prawa naturalnego przekonuje nas, że przebyte doświadczenia prowadzą do poczucia pewności i przynoszą stabilność. Jedną z tych zasad jest miłość. Kiedy kochamy, zawsze czujemy zadowolenie, radość i pewność.

W naszym działaniu muszą być drogowskazy. Dla żeglarza będą nimi gwiazdy, kompas, latarnia morska, radar.

W odniesieniu do wszechświata drogowskazami są uniwersalne zasady prawa naturalnego, któremu wszyscy podlegamy. Wewnętrzny spokój, harmonia, pomyślność, radość, to najważniejsze dla wszystkich ludzi poczynania. Nie przychodzą one do nas same, musimy je ugruntować, wypracować, aż staną się naszymi głębokimi przekonaniami, kierującymi naszym życiem.

Trzeba z całą konsekwencją przeciwstawić się dotychczasowym doświadczeniom. Bez względu na to, co przeżyliśmy, musimy wierzyć w naturalne prawo pomyślności, bo ono dotyczy każdego z nas. Budując pomyślność, będziemy tworzyć nowe dobro, takie jakiego zapragniemy.

Wymaga to jednak wprowadzenia naszych celów do świadomości, a następnie koncentrowania się na osiąganiu ich poprzez skupianie się, odczuwanie spokoju wewnętrznego, harmonii, wiary w pomyślność, radości wynikającej z tego stanu.

Każdy musi zrozumieć, jak ważne jest poczucie pewności siebie, wewnętrzny spokój we wszystkich sytuacjach.

Wobec kogoś, kto wystawi naszą cierpliwość na próbę, łatwo możemy zareagować dwojako: uszczypliwymi uwagami albo przyjąć postawę wielkiej serdeczności i ciepła. To drugie niewątpliwie spowoduje korzystną zmianę nastawienia do nas.

Wewnętrzny spokój, skoncentrowany, wyważony, ugruntowany pozwala na zrozumienie otaczającego nas świata bez wydawania sądów.

Rozterki codziennego życia, wynikające z naszego systemu wartości, często sprzeczne z zasadami prawa naturalnego, sprawiają, że poszukujemy wsparcia wśród przyjaciół borykających się z podobnymi problemami i poszukujących rozwiązań. To jest ważne, bo w grupie zawsze znajdzie się osoba, która potrafi inspirować i poderwać do działania, do wysiłku.

9. NIEUGIĘTA MOC DUCHA

Często w rozmowie z innymi spotykamy się z twierdzeniem, że chętnie wprowadziliby istotne zmiany w swoim życiu, ale nie potrafią. Nic im nie wychodzi. Nie są zdolni zdobyć się na wysiłek. Brak im silnej woli do przeprowadzenia zmian. Kwitują krótko: "Mam słabą wolę".

Czy istotnie jest coś takiego, jak słaba lub silna wola? Czy mówienie o niej nie jest raczej próbą wymawiania się, usprawiedliwiania?

Z doświadczeń własnego życia wiem, że gdzie jest cel, tam także znajdzie się wola jego realizacji. Kto ma świadomie sprecyzowany cel, komu szczerze zależy na dotarciu do niego, ten nigdy nie będzie narzekał, że brak mu silnej woli.

Z przykością muszę stwierdzić, że ludzie nie tylko wymawiają się swą rzekomo słabą wolą, ale powołują się i na to, że nie dają sobie rady, że po prostu "nie mogą". Wolność woli w ogóle dla nich nie istnieje.

Wierzę, że człowiek jest opanowany przez swoje pragnienia, popędy jak mówił Freud: "Ja, człowiek, nie jestem panem we własnym domu". Nie możemy kwestionować tego, że człowiek ma popędy i związane z nimi pragnienia. Ale nie wolno nam zapominać, że tenże człowiek jest istotą rozumną, duchową, że jest wolny i ponosi odpowiedzialność za siebie.

Czy nie jesteśmy aż nadto skłonni do stopniowego wypierania się swej duchowości, prawa do korzystania z wolności wyboru, a co za tym idzie, poczucia odpowiedzialności? Człowiek musi zrozumieć, że korzystanie z prawa do wolności myśli i czynów jest jego powinnością.

Decyzja wyborów zapada nie w teorii, lecz przede wszystkim w praktyce życia codziennego, w działaniu. Siła jest w nas, we mnie, w Tobie. Kiedy przestaniesz wątpić i wyszukiwać trudności, a skupisz się na konstruktywnym działaniu, dokonasz wszystkiego co zechcesz.

"To, co możesz uczynić jest tylko
maleńką kroplą w ogromie oceanu, ale
właśnie jest tym, co nadaje znaczenie
Twojemu życiu"
Albert Schweitzer

10. DZIAŁANIE JEST OWOCEM MYŚLI

Większość ludzi nie wie, dokąd zdąża. Czasami na trzydzieści lat przed emeryturą zachowują się tak, jakby już byli na emeryturze. W wieku dwudziestukilku lat marzą, by korzystać z wolności, nie skalać sobie rąk pracą. Zazdroszczą tym, którzy korzystają z zasłużonego wypoczynku. Co to oznacza? Ci młodzi ludzie myślą o stworzeniu sobie bezpiecznego schronienia, gdzie nie trzeba będzie zdobywać się na żaden wysiłek i ryzyko.

Czy taka postawa oznacza świadomość naszych celów?

W życiu nie ma możliwości, aby zatrzymać się w miejscu i stać. Posuwamy się nieustannie do przodu, ale bywa i tak, że się cofamy. Cofanie jest groźne, bo prowadzi do stagnacji. Przypomnijmy sobie zamknięty staw bez dopływu wody, pełen zielonej mazi, zalatującej stęchlizną.

Kiedy nasz umysł staje się bierny, nie wprowadzamy zmian w nasze życie, nie wzrastamy. Mając tę świadomość, musimy koniecznie oderwać się od marazmu i zwiększyć bogactwo swych przeżyć o nowe doświadczenia. Możemy zmienić sposób myślenia, bycia, o 180 stopni i zwiększyć naszą szybkość poruszania się i działania, zbliżyć ją do szybkości światła. Możemy zrealizować to, co chcemy i być tym kim chcemy.

Stawiaj sobie co pewien okres czasu pytania: Jakie podjąłem ostatnio kroki, cele, aby wzbogacić swoje życie? Czy nie oszukuję siebie pozornymi działaniami? Czy nie myślę czasem, że ktoś zrobi to za mnie?

Nasze działania idą w dwóch kierunkach: raz poruszamy się z nadmiernym entuzjazmem, innym razem popadamy w zwątpienie. I tak na przykład : Marzyliśmy o nowej pracy. Kiedy ją otrzymujemy, jesteśmy zachwyceni, pełni zapału do działania, po czym dochodzimy do wniosku, że to jednak nie to, że inaczej sobie wyobrażaliśmy to stanowisko. Albo nowy kontakt uczuciowy z osobą płci odmiennej wydał nam się pełen ciekawych doznań, oczekiwań, ale po pewnym czasie stwierdzamy, że jest nieatrakcyjny, że stracił swą siłę inspiracji, aby kierować naszym życiem. Musimy uwalniać się od tego rodzaju niepewności.

Ważne miejsce w naszym życiu zajmuje poczucie własnej godności. Arystoteles powiedział, że na godność człowieka nie składają się odznaczenia, lecz to, że na nie zasługujemy. Dobrze wykonywana praca, przestrzeganie zasad znajdują uznanie i nagrody. Ważny jest fakt, jaki jest nasz stosunek do tych ocen. W swoim życiu na pewno zajmowaliśmy wiele stanowisk. Jedne wykonywaliśmy rutynowo, inne były dla nas próbą - wyzwaniem do wielkich działań.

Poprzez dobrze wykonywaną pracę, dokonujemy samorealizacji, co ma wpływ na nasze lepsze samopoczucie.

Ważny jest nasz stosunek do pracy: Czy wykonujemy ją jako zło konieczne, czy też widzimy w niej źródło naszego rozwoju i twórczej działalności, czy odnajdujemy w niej poczucie człowieczeństwa i godności.

Co dzieje się, gdy pracę traktujemy jako zło konieczne? Pojawia się wówczas apatia, nuda, brak zainteresowań. Praca, której człowiek nie akceptuje, powoduje stresy, nerwowe napięcia, a nawet choroby typu wrzodów żołądka czy dwunastnicy, obniża odporność psychiczna, ludzie stają się nieszczęśliwi.

Umysł ludzki jest cudowny i kiedy raz zaakceptuje jakąś ideę, to nowe fakty potrafi ciągle rozwijać i tworzyć bogate wartości. Umysł jest bezgraniczny. Nikt nie określił jego potencjału. Dlaczego więc ogaraniczamy swoje możliwości w działaniu i podejmowaniu decyzji, w bogaceniu własnej osobowości? Działanie jest kwiatem myśli, a radość i cierpienia są ich owocami. Zbieramy słodkie i gorzkie owoce w swym ogrodzie. Plony te zależą do własnej pracy i wysiłku twórczego.

Wspaniałym przykładem na rozwijanie się bez granic są małe dzieci, które w swej niewinności i nieświadomości, działają, bawią się, fantazjują, tworzą.

Przysłowie mówi: Zbyt szybko stajemy się starzy, a za późno mądrzy.

Należy dążyć w swych działaniach do ciągle nowych rzeczy, wartości, aby nieustannie rozwijać się i doskonalić. Co się nie rozwija szybko ginie - umiera.

Przekształcanie siebie i swojego nastawienia do życia poprzez odnowę, zmianę dotychczasowego myślenia, przyniesie pomyślne rozwiązania i osiągnięcia.

Krąży w podaniach stara bajka o żabie:
Na dalekiej wsi nastała gwałtowna ulewa. Droga prowadząca przez wieś była pełna głębokich bruzd wypełnionych wodą.
W jednej z kolein znalazła się mała żabka. Próbowała się wydostać z pułapki. Mimo ogromnych wysiłków musiała zostać na noc na dnie bruzdy. Jej zmaganiom przyglądały się różne zwierzęta, traktując całe zajście jako zabawę.
Rano powróciły i jakież było ich zdziwienie, kiedy ujrzały żabę siedzącą na miedzy. Spytały ją jak tego dokonała. Żaba odpowiedziała, że strach przed nadjeżdżającym wozem dodał jej sił i udało jej się wyskoczyć z koleiny.
Czy my nie jesteśmy podobni do owej żaby? Tkwimy zagubieni gdzieś tam na dnie i dopiero jakiś silny bodziec wyzwala w nas twórcze myślenie i chęć działania.

11. TWÓRCZE DZIAŁANIE

Każdy człowiek jest wyposażony w potencjał twórczy. Nie ma zatem ludzi, którzy nie potrafiliby twórczo myśleć i działać. Ale zdarza się, że zbyt późno sobie to uświadamiamy.
Bardzo często mamy jakąś wyraźną ideę dotyczącą naszego życia, ale bywa i tak, że olśniewają nas idee przynoszące korzyści społeczeństwu.
Rozwiązywanie problemów nurtujących nas, wymaga niejednokrotnie ciężkiej i sumiennej pracy oraz wytrwałości.
Źle się dzieje, gdy problem przerasta nasze możliwości. Odsuwamy wówczas myśli o nim, pozostawiając go na łasce cudu. Nic bardziej błędnego. Tylko przezwyciężenie niepokoju, braku wiary we własne siły i przystąpienie do realizacji poprzez uruchomienie twórczego zasobu, pozwoli na osiągnięcie sukcesu.
Nasze możliwości twórcze przechodzą przez cztery etapy przeobrażeń:
1. Przygotowanie - powstanie idei w umyśle.
2. Dojrzewanie i rozwijanie.
3. Wyjaśnianie.
4. Sprawdzanie.
Kiedy rozwiązanie jakiegoś problemu sprawia nam szczególną trudność pozostawmy go na jakiś czas, pozwalając by

jego rozwiązanie powoli w nas dojrzewało, gdyż nasz subiektywny umysł będzie w tym czasie pracował.

Zasiana idea w twórczym umyśle pozostaje ukryta i dojrzewa aż do momentu, gdy przybierze kształt doskonały. Wówczas nastąpi wyjaśnienie problemu, z którym mieliśmy trudności.

Powstaną koncepcje do rozwiązania i sprawdzenia. Edison powiedział: "Geniusz składa się z jednego procenta natchnienia i dziewięćdziesięciu dziewięciu procent trudu w pocie czoła".

Poprzez zdolności i chęć brania na siebie odpowiedzialności, aby zrobić coś pożytecznego w swoim życiu, odnajdujemy w sobie olbrzymie moce, których dotąd nie odkryliśmy.

Człowiek jest istotą niecierpliwą. Czasem jedno niepowodzenie traktuje jako totalną porażkę i zniechęca się do działania. Chce natychmiastowego sukcesu. Natura nie lubi pośpiechu. Wszystko odbywa się we właściwym czasie.

Ludzie, których cechuje twórcze myślenie i działanie, mają zaufanie do siebie. Pracują spokojnie, rozważnie i w skupieniu. Dążą krok po kroku do znalezienia odpowiedzi na nurtujące ich pytania.

William James mówił: "Gdy już podejmiesz decyzję i zajmiesz się samym działaniem, porzuć wszelką troskę o rezultaty".

12. SUBIEKTYWNY UMYSŁ

Musisz czuć całą swoją istotą, że Twoje pragnienie jest konkretną rzeczywistością, a nie tylko intelektualnym pojęciem. Musi ono być wyrażone z całą mocą.

Silne pragnienie jest pierwszym krokiem do sukcesu. Jeśli pragniesz najlepszych i najwyższych rzeczy w życiu, to je "ściągniesz na siebie". Musisz widzieć się w nowej sytuacji i odczuwać radość spełnienia swoich pragnień.

Ważne jest to , co robimy tu i teraz, w każdej chwili naszego życia. Umysł subiektywny jest zawsze inspirowany intelektem, który odpowiedzialny jest za decyzje podejmowane przez nas. Świadomy umysł jest darem, który pozwala nam analizować, udowadniać, oceniać różne życiowe problemy, a także pomagać nam przy projektowaniu naszych działań.

Umysł subiektywny określany jest w psychologii jako podświadoma sfera umysłu. Używamy pojęcia "umysł subiektywny", gdyż odbija on nasze myśli. To, w co wierzysz, naprawdę znajdzie odbicie w Twoim subiektywnym umyśle, który natychmiast zacznie działać twórczo, zgodnie z tą wiarą, wnosząc ją w ten sposób do Twojego doświadczenia.

Pewna kobieta wytwarzała w swoim umyśle niczym nie uzasadnione lęki, które powodowały w jej życiu wiele chaosu i stresów. Była mocno przekonana, że ma poważne kłopoty ze zdrowiem. Odczuwała ciągły niepokój. W młodości dowiedziała się, że jest poważnie chora. Poddała się lękowi o życie w takim stopniu, że strach owładnął całą jej duszą, umysłem i ciałem. Wpłynęło to na jej przygnębienie i smutek. Lekarz zauważył szybki postęp choroby w jej organiźmie. Jego zdaniem chora miała co najwyżej rok życia przed sobą, po warunkiem, że zadba o siebie, jak również przełamie nastawienie psychiczne spowodowane lękiem.

Lekarz potrafił skierować jej myśli w inną stronę. Odwrócił uwagę od jej stanu zdrowia. Podejście pacjentki do życia uległo zmianie. Jej ciało fizyczne zaczęło prawidłowo reagować i proces chorobowy został zahamowany.

Lekarz wykorzystał tu wiedzę o zainteresowaniach chorej. Znała ona kilka języków i poradził jej, aby doskonaliła je. Praca nie wyczerpywała jej fizycznie, a kontakty z ludźmi fascynowały ją. Była zaabsorbowana swoją nową rolą. Umysł jej wzniósł się ponad przerażającą wizję choroby.

Po dwóch latach lekarz ze zdumieniem zauważył, że choroba została zatrzymana. Niebezpieczeństwo minęło. Dobry stan psychiczny wpływał na kondycję fizyczną. Nasz pacjentka ma obecnie 75 lat i jest nadal pełna entuzjazmu, pochłonięta swoją pracą. Jest w pełni sił.

Zmiana, jaka się w niej dokonała, została spowodowana opanowaniem własnego egocentryzmu i przeniesieniem trosk z własnej osobowości na pracę twórczą, na niesienie pomocy innym, dzielenie się sercem, wiedzą i doświadczeniem.

Został przełamany lęk i zastąpiony wiarą oraz potrzebą działania.

Błąd myślenia, że się starzejemy i dobrodziejstwa, wypływające ze zniszczenia tego złudzenia, są zilustrowane w szkicu z historii pewnej Angielki opublikowanym w londyńskim czasopiśmie medycznym, "The Lancet".

Zawiedziona w miłości w swych młodych latach, dostała obłędu i straciła wszelką rachubę czasu. Wierząc, że ciągle jeszcze żyje w tej samej godzinie, która rozłączyła ją z ukochanym, nie zwracając uwagi na lata, stała codzień w oknie, wypatrując przybycia swego ukochanego. W tym stanie myśli pozostała młodą. Nie mając świadomości czasu, dosłownie nie starzała się. Pewni amerykańscy podróżni widzieli ją, gdy miała lat 74 i przypuszczali że jest młodą kobietą. Nie miała troską pooranej twarzy, zmarszczek ani siwych włosów, lecz młodość spoczywała łagodnie na policzkach i ciele. Ci, których proszono, aby odgadli jej wiek, nie znając jej historii, przypuszczali, że musi mieć poniżej 20 lat. Lata nie postarzały jej, ponieważ nie była świadoma mijającego czasu i nie myślała, że się starzeje. Cielesne skutki jej wierzenia, że jest młodą, ujawniły wpływ takiego wierzenia. Nie mogła się starzeć, gdy wierzyła, że jest młodą, gdyż stan myślowy rządził stanem fizycznym. Niemożliwości nigdy się nie zdarzają. Jeden przykład taki jak powyższy dowodzi, że można być młodym, mając lat 74: a zasada tej ilustracji czyni jasnym, że zgrzybiałość nie jest zgodna z prawem, ani nie jest koniecznością natury, lecz złudzeniem.

"Albowiem nie dał nam Bóg ducha bojaźni, ale mocy i miłości i trzeźwego myślenia."

(2 Tm. 1;7)

13. JAK UWOLNIĆ SIĘ OD LĘKU

Wiemy już, że każdy może zmienić swoje życie, jeżeli tylko tego naprawdę pragnie i gotów jest do podjęcia wysiłku.

Jeśli Twoje życie jest pełne obaw i lęku, spróbuj zastosować się do poniższych rad, a może staniesz się wolny i pozbędziesz się tego przykrego uczucia.

Po pierwsze - przyznaj się do swego strachu. To wymaga wielkiej odwagi. Mało ludzi potrafi tego dokonać. Niewielu ludzi przyznaje się do swych pesymistycznych myśli, gdyż boi się odkryć neurotyczną sferę swej osobowości.

Podstawą wyleczenia jest jednak przyznanie się. Poprostu powiedz "Ja się boję".

Po drugie - Zmierz się z tym strachem, spójrz mu prosto w oczy, poznaj jego oblicze. Jaki on naprawdę jest, z czego wynika? Czy ma prawdziwą realną podstawę. Czy powstał w wyniku jakiegoś faktu, czy też Twojej fobii? A może to neuroza?

Po trzecie - musisz coś zrobić w tej sprawie. Ale co? Przede wszystkim dobrać skuteczną broń do walki z lękiem. Już wiesz, z czego wynika Twój strach, więc na pewno dobierzesz skuteczną metodę aby mu się przeciwstawić. Przekonasz się łatwo, że taka "walka" ma lecznicze walory.

Po czwarte - Musisz mieć silną wiarę, która leczy pesymizm Twojej życiowej postawy. Za pomocą tej silnej wiary możesz opanować swoje lęki.

Najlepszą radą, której można udzielić, jest aktywność kierująca nieustannie uwagę ku radości życia. Wielu z nas żyje jakby niechętnie, na siłę. Nie widzi przed sobą żadnych motywacji, a nawet jak zaobserwował Henry Dawid Thoreau, większość ludzi prowadzi tryb życia spokojnej rozpaczy.

Musisz sobie stworzyć nowy model myślenia. Jeśli będziesz miał zakodowane poczucie winy, ciągle będziesz odczuwał lęk. Twoja myśl będzie ograniczona i będzie Ci to przeszkadzało w normalnym działaniu. Uwolnij się od tego z pełną świadomością.

Twoje lęki powodują, że ciągle jesteś podenerwowany. Spodziewasz się, że zaraz Cię spotka coś przykrego. Jesteś nieustannie zestresowany. Wszystko to działa na Ciebie destrukcyjnie, wpływa na stan Twojej psychiki.

A przecież zachwianie równowagi psychicznej będzie bardzo niekorzystne dla Twojego systemu nerwowego i zdrowia.

Będziesz miał poczucie ciągłego zagrożenia, mniejszej wartości, a to może Cię doprowadzić do trwałych urazów psychicznych.

"Darząc uśmiechem - uszczęśliwiasz
serce. Uśmiech bogaci obdarzonego nie
zubożając dającego".

Faber

14. POGODA DUCHA ŹRÓDŁEM SZCZĘŚCIA

Wydaje mi się, że głęboki związek międzyludzki nie jest
możliwy bez radości, uśmiechu i poczucia humoru.

Jestem pewien, że wszystkim nam przypominano w okresie
dorastania, że "życia nie wolno brać lekko", że jest ono sprawą
poważną. Myślę, że to prawda, ale czy sprawy poważne trzeba
zawsze traktować z chmurą na czole?

Sam niejednokrotnie uratowałem się w trudnych sytuacjach
życiowych umiejętnością spostrzegania humorystycznych
sekwencji dotyczących mojej osoby, moich niedociągnięć,
słabości. Zastanów się czy i Tobie nie przydarzyła się taka
sytuacja, że zamiast złościć się i złorzeczyć na Twojej twarzy
promieniał uśmiech.

Matka Teresa z Kalkuty, która z takim oddaniem i
poświęceniem usługuje ludziom chorym, zrozpaczonym,
głodnym, umierającym, żąda aby oddziały szpitalne wypełnione
były uśmiechem.

Uważa ona, że dźwięk śmiechu jest najpotężniejszą i
najskuteczniejszą siłą, prowadzącą do zdrowia, do uduchowienia,
a także do energii.

Święta Teresa z Avila, przy przyjmowaniu kandydatek do
nowicjatu wybierała takie, które były wesołe, miały doskonały
apetyt i dobrze sypiały. Wierzyła, że apetyt jest objawem dobrego
zdrowia, dobry sen świadczy, że dziewczyny są wolne od
grzechu, od lęków, zaś śmiech, to radość, pogoda ducha,
optymizm, tak bardzo potrzebny do przetrwania trudów życia.

Bardzo wielu filozofów, w swych doktrynach, podkreślało
konieczność radości, potrzebnej do przetrwania. Wymowne są
między innymi słowa Sokratesa, które kierował do uczniów:
"Człowiek, którego radości życia opuściły, nie żyje już, może być
uznany za zmarłego".

Szczęście jest potwierdzeniem życia. Tam, gdzie go
zabraknie, egzystencja staje się ponura i godna ubolewania. Stąd
wniosek: bycie szczęśliwymi to nasz obowiązek.

W obecnej dobie mało dostrzegamy radości, a nawet dziwnie spoglądamy na tych, którzy bywają zadowoleni. Są ludzie, którzy obawiają się stanów radości, podniecenia, przyjemności czy nawet zwykłych emocji. Czy nie zauważyłeś tego u siebie? Którz z nas nie lubi oglądać dobrych komicznych filmów czy przedstawień? Śmiejemy się wówczas spontanicznie i coś się w nas zmienia. Wiesz, że to, co Cię bawiło, to doskonale podpatrzone zachowania ludzi, przeniesione na scenę przez aktora.

Dlaczego śmiejesz się dopiero teraz? Czy nie zauważasz takich sytuacji wokół siebie, a nawet we własnym życiu? Na pewno dostrzegasz je, ale coś Cię powstrzymuje od śmiechu. Ale co? Czy potrafisz sobie na to odpowiedzieć?

Bernard Shaw stwierdził: "Śmiechem bez złośliwości możesz zniszczyć zło i potwierdzić dobre koleżeństwo i serdeczność".

Doświadczyłeś zapewne takiego doznania, kiedy żart, śmiech rozładował napiętą sytuację i zamieniał ją w ciepłą, wesołą i produktywną.

Dr Willam Fry powiedział, że uśmiech pomaga w trawieniu, pobudza działanie serca, wzmacnia mięśnie, uaktywnia nas i pobudza mózg do twórczego funkcjonowania, a także utrzymuje nas w czujności.

Pogoda wewnętrza, radość, zadowolenie i śmiech to oznaka szczęścia, które przenosimy na otoczenie. Źródło szczęścia jest w każdym z nas. Musimy je tylko odkryć i umiejętnie gospodarować jego zasobami.

Dajemy się czasem ponieść złudnym reklamom TV, radia czy prasy, że szczęście, to odpowiedni trunek, eleganckie auto, pachnący dezodorant czy specjalny pokarm.

Czy Ty też tak myślisz?

Kiedy jesteśmy szczęśliwi, to w euforii stajemy się bardziej otwarci, zdolni jasno dostrzegać różne problemy i z łatwością panujemy nad napięciami. Gdy się śmiejemy, nasz organizm wydziela specjalny hormon, który jest naturalnym środkiem przeciwbólowym.

Radość i szczęście to stan naszego umysłu.

Abraham Lincoln mawiał: "Większość ludzi jest o tyle szczęśliwymi, na ile zdecydowali się w swoich umysłach, aby być szczęśliwymi".

Z naszych rozważań wynika, że bez śmiechu nie ma radości, bez radości nie ma szczęścia, a bez szczęścia nie ma życia.

Erich Fromm napisał: "Szczęście jest największym osiągnięciem człowieka, jest odpowiedzią jego pełnej osobowości, produktywnej orientacji wobec siebie i świata zewnętrznego".

Pamiętaj, że uśmiech, to zdrowie. Humor zaś daje nam siłę do przetrwania i pokonania największych trudności. Humor rodzi optymizm. Nie obawiaj się dawania. Nigdy nie możesz dać za dużo jeśli dajesz z serca.

Uśmiech niesie radość rodzinie, umacnia w pracy, świadczy o przyjaźni. Podnosi na duchu zmęczonych, leczy ze smutku.

Jeden uśmiech znaczy więcej niż wiele słów.

Uśmiech czyni życie bardziej słodkim.

"Uśmiech podnosi na duchu zmęczonych, leczy ze smutku. Gdy więc napotkasz kogoś o twarzy ponurej, obdarz go hojnie uśmiechem, którz bowiem bardziej go potrzebuje niż ten, co nie potrafi dawać?" - Faber

15. ENTUZJAZM

Entuzjazm, jest dla człowieka psychologicznym systemem zapłonowym, wprowadzającym w ruch cały potencjał woli i możliwości jednostki. Czyni on cuda. Bez niego nie osiągnęlibyśmy wymarzonego celu.

Najlepsze wychowanie, wykształcenie, warunki rozwoju, wspaniała aparycja, najwartościowsze geny odziedziczone po przodkach, doskonałe przygotowanie do zawodu nie wystarczą do osiągnięcia sukcesu, jeśli nie połączymy ich z entuzjazmem, pracowitością, uporem, sytematycznością i wytrwałością.

Drogi samochód, wspaniale zaprojektowany i wyposażony we wszystkie najnowsze zdobycze techniki, pozbawiony systemu zapłonowego, stanie się bezużyteczną masą żelaza i tworzyw sztucznych.

Człowiek też musi mieć iskrę zapłonową do działania. Jest nią między innymi entuzjazm.

Nie możemy go dotknąć, zobaczyć ale potrafimy zauważyć rezultaty jego wpływu.

Kiedy oglądamy sportowców w czasie Igrzysk Olimpijskich, przeróżnych zawodów dostrzegamy u nich ogromny entuzjazm, siłę walki. To pozwala im ustanawiać nowe rekordy, osiągać sukcesy. Mamy w tym przypadku dwustronny entuzjazm: sportowców i kibiców.

Pozytywne wyniki wywołują podniecenie i entuzjazm u widzów. Objawia się on w dopingu (oklaski, skandowanie, okrzyki). Doping ten, staje się bodźcem i siłą napędową do wzmożonych wysiłków zawodników.

Entuzjazm towarzyszy nam przy zdobywaniu wiedzy, w pracy, w życiu rodzinnym, przy podejmowaniu różnych decyzji.

Działa on na nasze zmysły i ciało jak adrenalina. Pobudza do wzniosłych działań.

Entuzjazm budzi w nas wiarę, nadzieję, poczucie radości, dumy, zadowolenia. Wywołuje promienny uśmiech na twarzy.

Bardzo często jest gaszony przez otaczających nas ludzi. Fakt ten ma miejsce już od najwcześniejszych lat życia. Pamiętamy, ileż to razy w czasie naszych dziecięcych zabaw, naszych działań słyszeliśmy od dorosłych: nie rób, nie dotykaj, nie wolno, zostaw, jesteś niemądry, itd. Podobnie dzieje się w późniejszym okresie życia. Tego rodzaju lub inne uwagi studzą zapał, hamują entuzjazm.

Rzadko słyszy się słowa zachęty, pochwały, wsparcia. Dlaczego boimy się tego, jesteśmy tacy skąpi i ograniczamy się do wypowiadania: robisz to wspaniale, rób tak dalej, to jest doskonałe.

Pomagając innym odczuwać entuzjazm sami stajemy się bardziej zaangażowani duchowo w sprawę.

Tłumiony entuzjazm powoduje osłabienie zainteresowania, a z czasem zniechęcenie do działania.

W każdym z nas jest nieograniczony potencjał entuzjazmu. Możemy korzystać z niego ile tylko chcemy, ale nie wolno pozwolić innym na osłabianie go.

Osiągnięcia ludzi są proporcjonalne do tego, ile enuzjazmu włożyli w działanie. Wielki entuzjazm zawsze prowadzi do wielkich sukcesów.

Niepowodzenia jakie dotykają człowieka, często wynikają z braku entuzjazmu.

Uśmiech, radość, spontaniczność towarzyszą entuzjazmowi.

Entuzjazm pozwala zespołom wygrywać, odnosić zwycięstwa. Trenerzy doprowadzają sportowców do wysokiej formy. Zalecają im obok ćwiczeń, szukania duchowej mocy w sobie, a nie w zewnętrznych warunkach.

Działania nasze muszą być poparte wiarą i pewnością, że to co robimy, wykonujemy dobrze.

Wielcy przywódcy, mężowie stanu, lekarze, ludzie biznesu emanują entuzjazmem. Oni wierzą, że służą ważnej i dobrej sprawie.

Entuzjazm możemy wyrażać w działaniu, słowami, gestami, mimiką, oczami. Eksponujemy go w bezpośrednich kontaktach twarzą w twarz lub podczas rozmów telefonicznych.

Charles M. Schwab mówił: "Człowiek może odnieść sukces prawie we szystkim do czego odnosi się z nieograniczonym entuzjazmem".

Jeśli wybieramy sobie cel, do którego naprawdę jesteśmy entuzjastycznie nastawieni, to zawsze to, czego pragniemy otrzymamy.

Entuzjazm trzeba pobudzać. Jeśli stanie się on Twoją obsesją, to nic Cię nie powstrzyma przed osiągnięciem Twego celu.

Entuzjazm możesz pobudzić stosując następujące rady:

1. Musisz się entuzjastycznie zgadzać.
2. Podziwiać. Im bardziej będziesz podziwiał, tym więcej będzie w Tobie entuzjazmu.
3. Osiągaj różne rzeczy dzięki entuzjazmowi.
4. Powiększaj i przyspieszaj osiągnięcia dzięki entuzjazmowi.
5. Bądź pełen entuzjazmu w udzielaniu pochwał dla innych.
6. Okazuj entuzjazm przez radość. Promieniuj.
7. Entuzjastycznie angażuj się do współpracy.
8. Zarażaj entuzjazmem innych.

16. SAMODZIELNE MYŚLENIE KLUCZEM DO NASZEGO ROZWOJU

Gdybyśmy zebrali sto osób i spytali ich, czego najbardziej pragną w życiu, okazało by się, że co najmniej 90% nie umiałoby odpowiedzieć sensownie na to pytanie. Usłyszelibyśmy, że jedni pragną mieć poczucie bezpieczeństwa, inni wymieniliby jako wartość pieniądze, szczęście, sławę, uznanie w towarzystwie, łatwe życie. Ktoś mógłby powiedzieć, że chciałby zostać sławnym śpiewakiem, pomimo, że nie ma odpowiedniego głosu, albo napisać powieść lub bogato się ożenić. Ale prawdopodobnie nikt z tych ludzi nie byłby w stanie określić, w jaki sposób ma zamiar zrealizować swe mgliste plany. Do realizacji pragnień potrzebne są koncepcje, wyobrażenia i jasno sprecyzowane formy działania połączone z wytrwałością.

Osiąganie celów to wiedza. Marzenia i pragnienia Twego serca nigdy nie ziszczą się przypadkowo. Żyjemy w cudownie uporządkowanym świecie, który podlega naturalnym prawom. Każdy z nas musi zrozumieć i stosować się do nich, aby móc doświadczać tego wszystkiego, czego tylko może zapragnąć serce i umysł.

Albert Einstein zapytany kiedyś, co chciałby przekazać studentom amerykańskich szkół, bez wahania powiedział, że zaleciłby im spędzenie co najmniej godziny na odrzucanie idei narzuconych przez innych ludzi oraz na przeanalizowanie tych rzeczy samodzielnie, wnosząc własną wizję koncepcji.

Nie chciał on przez to powiedzieć, że ignoruje opinie innych lub, że się z nimi nie liczy. Chodziło mu o to, aby każdy myślący człowiek dostrzegał w sobie wartości wyzwalające twórcze działanie.

Myślę, że ma to ogromny sens. Bezsprzecznie, pozwolenie młodym ludziom na samodzielny rozwój ich wyobraźni, na indywidualne podejście do problemu i szukanie rozwiązań, będzie wyzwalało chęć działania i to bardzo oryginalną w swej formie.

Narzucone idee zabijają twórcze myślenie i chęć do podejmowania trudów.

Z ziarna powstaje roślina i bez niego nie byłoby życia.

Każde działanie rodzi się z ukrytych ziaren jego myśli. Myślami budujemy, ale możemy też niszczyć. Kiedy umysł człowieka produkuje złe myśli, równocześnie przychodzi ból i cierpienie. Zaś dobre myśli związane są z radością i szczęściem.

Przez właściwy dobór myśli wznosimy się do cudownej doskonałości.

Człowiek może kontrolować swe myśli, kierować nimi, śledzić ich skutki, bowiem mają one przemożny wpływ na całokształt naszego życia.

Kiedy nasze myślenie jest właściwe, nasze ciało promieniuje zdrowiem. A kiedy cieszymy się dobrym zdrowiem i świadomie dziękujemy za nie, to jesteśmy szczęśliwi.

Każdy z nas ma określony plan działania, według którego żyje, postępuje, wytycza sobie cele. Życie bez planowania byłoby koszmarem. Powstałby w nas i wokół nas ogromny chaos.

Pozytywny plan podźwignie Cię z przygnębienia i przyniesie radosny i aktywny stan, pobudzi do twórczej inspiracji.

Zaplanować to znaczy spełnić. Zaś spełniać, to odnosić sukcesy. Każdy sukces jest źródłem szczęścia.

Sposobem na równowagę w życiu jest czerpanie z niego tylko rzeczy najistotniejszych. Żyć w pełni swoich możliwości, to jest to, czego szukamy. To właśnie życie, które zapewnia nam poczucie bezpieczeństwa i poprawia nasze zdrowie. Radości życia przewyższają wszystkie kłopoty. Niektórzy ludzie z powodu niewłaściwego, "chorego" myślenia zatrzymują się tylko na kłopotach, nie zauważają różnych wspaniałych aspektów życia i tym samym zniekształcają je.

Prawdziwie wielcy ludzie traktowali trudne sytuacje życiowe jako chwilowe przeszkody, coś, co da się pokonać. Abraham Lincoln przeszedł przez wiele ciężkich prób. Często był odrzucany, krytykowany, potępiany. Warunki w jakich żył załamałyby niejednego człowieka. On nigdy nie stracił wizji swego planu. Posuwał się naprzód, aż do osiągnięcia pełnego sukcesu i najwyższego uznania.

Przeciętny człowiek pozwala, aby małe problemy frustrowały jego psychikę, aż jego życie rozpadnie się na części.

Człowiek nie może się zmierzyć z realiami życia, jeżeli nie zdobędzie siły, która w walce z trudnościami zbuduje mu umysłowe i duchowe "muskuły".

Otrzymaliśmy w darze wspaniałe ciało, doskonale wyposażony mózg. Jeśli damy im szanse rozwoju, trudności nasze będą rozwiązane.

17. CZYM SĄ PRAGNIENIA

Jak doświadczyć najpiękniejszych i najgłębszych pragnień, które powstają w naszych myślach? Jak przywołać pragnienia, które jeszcze wczoraj wydawały się nieprawdopodobne? Jak sprawić, aby nasze sny stały się rzeczywistością? Myślę, że takie lub podobne pytana zadaje sobie wielu z nas.

Herald Sherman pisał, że poza niesłychanie ważnymi procesami myślowymi, istnieje pełna świadomość posiadania Boga, który ujawnia się w szczególnych chwilach jako Intuicja.

On nigdy nie nakazuje, nie narzuca, jedynie w krytycznych chwilach "podpowiada", co powinieneś zrobić, a czego nie. Spieszy do nas z przekazem wielkiego dobra. Czy jesteś gotów do przyjęcia tych dóbr?

Napoleon Hill powiedział kiedyś, że nikt nie może cieszyć się sukcesem, bo nie jest on stały. Trzeba ciągle analizować błędy, aby się przekonać, że przyczyną kłopotów jesteśmy my sami. Nie osiągniemy prawdziwych sukcesów, dopóki nie przyjmiemy pełniej odpowiedzialności za nasze błędy, dopóki nie spojrzymy wyraźnie na siebie, aby znaleźć przyczynę tego, co stoi na przeszkodzie pomiędzy nami, a postawionymi celami. Załóżmy, że na Twojej liście celów jest chęć awansu na wybrane stanowisko pracy. Lubisz swoją pracę, osiągasz w niej powodzenie. Jesteś na tym samym stanowisku kilka lat i postanowiłeś piąć się w górę. Jak masz postąpić w tej sytuacji? Musisz spojrzeć na siebie z dystansu, bardzo obiektywnie i zapytać: Czy zatrudniłbym kogoś takiego jak ja? Jeśli dojdziesz do wniosku, że nie, to spytaj sam siebie: dlaczego? Czy po tej analizie chciałbyś awansować? Myślę, że należałoby zmienić coś we własnej osobowości.

Aby cele były sfinalizowane musisz stać się równoważnikiem tego, czego oczekujesz. W momencie, gdy dojrzysz w sobie jakieś niedomagania, zapisz je.

Pragnienie jest Twoim życzeniem lub tęsknotą za czymś lub za kimś. Słowo "pragnienie" wywodzi się z języka łacińskiego i znaczy: gwiazda, błyszczeć, a także badać.

Człowiek opanowany przez pragnienie wydaje się być w blasku, promieniuje jak gwiazda. Powstają wówczas wibracje, które można odczuwać, dostrzegać. Pragnienie często staje się emocjonalną obsesją, płonącą dniem i nocą, bez względu na to, co niesie życie.

Pragnienie powoduje dążenie do postępu, rozwoju, do doskonałości.

To wszystko leży w naszej naturze, trzeba tylko działać.

Realizacja pragnień wiąże się nierozerwalnie z uczuciami i emocjami.

"Emocja" w języku łacińskim oznacza: poruszać się, wyjść poza. Za każdym razem kiedy działasz spontanicznie, emocjonalnie, przenosisz się w inny wymiar. Doznajesz nowych doświadczeń i przeżyć. Stajesz się bogatszy duchowo.

Kiedy pragnienie Twoje jest przepełnione żarem, będziesz podążał do celu szybko i bezbłędnie. Drogowskazem będzie Twoje serce.

Wiele razy spotykaliśmy się z przypadkami ludzi nieuleczalnie chorych. Lekarze bezradnie rozkładali ręce, bo nie byli w stanie już nic więcej zrobić. Pozostawiali pacjentowi wiarę w uzdrowienie i nakłaniali do uaktywnienia silnej woli i chęci do życia. Efekty tego były zdumiewające.

Na pewno słyszałeś o przedłużaniu życia przez samego zainteresowanego, mimo że choroba lub starość powalają z nóg. Człowiek potrafi wyzwolić w sobie gorące pragnienie dokończenia jakiejś rozpoczętej pracy lub spotkania kogoś bliskiego. To dodaje sił, energii do spełnienia tych zamierzeń.

Siła pragnienia wspomaga wiarę. Pozwala na łatwe osiąganie szczytów, a nawet przeciwstawia się śmierci.

Zanim dojdziesz do upragnionego celu, musisz pokonać wiele przeszkód, przezwyciężyć liczne niepowodzenia i porażki. Liczy się tylko upór w dążeniu, chęć działania i entuzjazm.

Entuzjazm jest cudownym uczuciem. Może on przemienić ciężką pracę w łatwą i przyjemną, pozwoli opanować depresję, zlikwidować złe chwile w naszym życiu.

Człowiek, który podchodzi do pracy entuzjastycznie, nie może mieć żadnych obaw.

Entuzjazm tkwi w każdym z nas. Trzeba go tylko pobudzić do aktywności.

Nowe życie, nowe działania powstają w ruchu. Każdy dzień daje nam nowe szanse i okazję do ofiarowania sobie wszystkiego, czego tylko z głębi serca zapragniemy.

Stagnacja, brak woli działania, marazm - to istne piekło dla człowieka. Jakich bodźców potrzeba, aby się z tego oswobodzić?

Feniks powstał z popiołów, a człowiek sam się spala.

Nasza wyższa wyobraźnia, wyzwolenie pasji, wiary, entuzjazmu pozwala wyrwać się i piąć wyżej ponad to, co jest, do tego, co może być.

Istnieje wiedza prowadząca do osiągania celów. Oparta jest na podobnych zasadach, jakie stosujemy przy poznawaniu praw geometrii, arytmetyki, fizyki. Są to prawa otrzymywania, które należy poznać.

Jak długo będziemy się posługiwali zasadami, wzorami i prawami tej nauki, tak długo będziemy się cieszyć wynikami.

Podobnie jest z realizacją Twoich pragnień. Pozytywne wyniki otrzymujemy nie dlatego, że jesteśmy chrześcijanami, wyznawcami nauki Mojżesza lub ateistami, lecz dlatego, że zdajemy sobie sprawę z tego, co robimy, co chcemy osiągnąć zgodnie z nauką o Prawach Natury. Jeżeli pogwałcisz te zasady, to bez względu na włożony wysiłek w Twoją pracę, nie osiągniesz swych celów.

Musimy czuć się odpowiedzialni za myśli i uczucia, które powinny być zgodne z naszymi pragnieniami i dążeniami.

Jack Holland opowiedział ciekawą historię ze swego życia, która doskonale ilustruje, jak możemy osiągnąć pragnienia wykorzystując proces myślenia.

Przed paru laty zamierzał kupić łódź motorową. Pewnego dnia dowiedział się, że organizacja biznesmenów, do której należał, zamierza urządzić loterię, w której główną wygraną będzie duża łódź motorowa z przyczepą do samochodu.

Wykupił wraz z synami dwa tuziny biletów, których bardzo wiele zostało rozprowadzonych we wschodniej części Stanów Zjednoczonych.

Przez około dwa miesiące wyobrażał sobie, jak pływa po jeziorze w nowej łodzi. Czuł smagający go wiatr, zapach i krople rozpryskującej się wody. Miał nawet któregoś dnia uczucie, że omal wypadł za burtę. Odczucia jego były tak żywe i autentyczne, że myślał nad środkami ostrożności przy kierowaniu łodzią.

Jack wygrał upragnioną łódź. Zwierzył się później synom, że noc poprzedzającą losowanie wygranej spędził na plaży. Spacerował po plaży i śpiewał w myślach modlitwę dziękczynną.

Kiedy spoglądał na niebo postanowił nazwać swą łódź "Słodką godziną".

Uczucie podniecenie, jakie wszyscy przeżywali od momentu zakupu biletów, aż do ciągnięcia losów, miało większe znaczenie niż sama wygrana.

W dwa lata później Jack Holland znalazł się na spotkaniu tej samej organizacji i któryś z członków zapropnował mu, aby ponownie spróbował swej metody. Tym razem wygraną miał być nowoczesny telewizor. Początkowo odmawiał. W końcu przyjął propozycję. Tym razem swoją koncentrację skierował na dziewczynę, która miała dokonać ciągnięcia losów. Szczęście dopisało mu.

Żyjemy we wspaniałym wszechświecie, który reaguje na nasze pragnienia i na naszą świadomość teraźniejszości, przybiera formy i kształty, jakie nasza świadomość zaprogramuje.

18. MÓJ DOBRY DZIEŃ

Życie nasze składa się z dni, tygodni, miesięcy i lat. Każdy nowy dzień wnosi w nie wiele dobrego, a czasem i złego.

Wszyscy marzymy o pięknym, szczęśliwym dniu. Czy jest to trudne do osiągnięcia? Myślę, że nie.

Najważniejszym i najistotniejszym elementem w tym procesie będzie Twoje nastawienie do rozpoczynającego się dnia i to już od momentu przebudzenia.

Każdego ranka nazwij swój dzień "dobrym dniem". Jak nazwiesz dzień, takim się on stanie. Twoje słowa tchną ducha w rozpoczynający się dzień. One staną się jego życiem. Słowa nasycone są twórczą siłą. Twoje postawy, rekcje będą decydowały o kształtującej się rzeczywistości.

Podkreślaj w życiu dobro i staraj się je widzieć ciągle zwiększające i pomnażające. Czuj się dobrze. Bądź radosany, uśmiechnięty, ufny, pełen nadziei i wiary.

Nowy dzień otwiera przed Tobą świeże możliwości do działania. To jest szczególny dzień, ponieważ **jest to dzień, który masz teraz.**

Dzisiaj jest cudownym dniem do wspaniałych twórczych myśli i działań. Czy masz jakieś projekty do zrealizowania? Jakie zmiany chcesz wprowadzić? Jakie pomysły urzeczywistnić?

Teraz jest na to odpowiedni czas. **Dzisiaj** nadszedł dzień, abyś podjął kroki zmierzające do urealnienia marzeń.

Dzisiaj jest wspaniałym dniem na rozszerzenie swojego sposobu myślenia.

Jeżeli czujesz się czymś ograniczony, skrępowany, **teraz** jest pora na wszystko spojrzeć inaczej. **Dzisiaj** jest dniem, w którym czujesz się wolną, nieograniczoną istotą, natchnioną i przepełnioną potencjałem własnych możliwości. Jesteś gotów na otrzymywanie należnych Ci dóbr.

Wykonywanie tego, co lubisz, jest dowodem Twego talentu.

Twoje talenty i zdolności twórcze są darami, które zostały Ci dane jako wyraz obfitości świata. Używaj ich łącznie i rozumnie, a doznasz wielu obfitości jakich oczekujesz.

Bądź otwarty na wszystko. Bierz udział we wzajemnym obdarowywaniu się. Kochaj siebie i tych co kochają Ciebie. Bądź hojny i dobry dla siebie i innych. Dawaj, to co masz najlepszego i pozwól, aby Cię obdarowywano podobnymi rzeczami.

Przykład idealnego, szczęśliwego dnia:

Budzę się wdzięczny za doskonały wypoczynek. Odczuwam radość i spokój. Zaczynam dzień z gorącym pragnieniem dokonania czegoś satysfakcjonującego.

Już myśl o uczynieniu tego, co lubię, powoduje we mnie przypływ energii. Oczekuję nowych doświadczeń, wszystkich, jakie staną się moim udziałem. Otwieram się cały na miłość jaką będę otrzymywał i dawał. Jestem przekonany, że wszystko w świecie jest doskonałe i tylko najlepsze doświadczenia będą moim udziałem.

Odczuwam bezpośrednie związki z Nieskończoną Inteligencją i wierzę, że zostanę bezbłędnie pokierowany, kiedy będę posługiwał się moją intuicją.

Jestem przepełniony radością. Czuję, że radość promieniuje ze mnie na wszystko co mnie otacza.

Pamiętaj, że koncentrując myśli na czymś określonym, powodujemy zaistnienie tej rzeczy czy faktu w naszym życiu, a już istniejące, poszerzamy i pomnażamy.

Koncentrując się na radości i pozwalając jej się rozrastać przyciągasz zdarzenia i ludzi wnoszących radość w Twoje życie.

19. POTĘGA WYOBRAŹNI

Wszystko, co potrzebne jest do realizacji pragnienia, istnieje w naszej wyobraźni, która jest pracownią umysłu. W niej to uplastyczniają się plany przez nas tworzone.

Istnieje słuszny pogląd, że człowiek może stworzyć wszystko, co tylko zdoła sobie wyobrazić, ale musi tego bardzo chcieć.

W ostatnim pięćdziesięcioleciu człowiek przy pomocy swej wyobraźni odkrył i ujarzmił więcej sił natury, aniżeli w całej historii ludzkości. Opanował przestworza, zmierzył i zważył Słońce, stworzył pojazdy do lotów ponaddźwiękowych, a nie doszedł jeszcze do szczytu rozwoju swej wyobraźni.

Nasza wyobraźnia funkcjonuje w dwóch formach:
1) jako syntetyczna wyobraźnia,
2) jako twórcza wyobraźnia.

Wyobraźnia daje człowiekowi możliwości porządkowania starych koncepcji, idei, planów i łączenia ich z nowymi pomysłami, tworząc inne, lepsze rozwiązania. Ciągle bazujemy na zdobytych doświadczeniach i obserwacjach.

Wyobraźnia twórcza jest pośrednikiem, w którym ograniczony umysł człowieka może nawiązać bezpośrednią łączność z podświadomymi umysłami innych ludzi.

Twórcza wyobraźnia działa automatycznie, ale tylko wówczas, gdy świadomy umysł pracuje na najwyższych obrotach, kiedy jest stymulowany przez uczucie mocnego pragnienia.

Wybitni ludzie ze sfer życia gospodarczego, wielcy muzycy, malarze, rzeźbiarze, poeci, pisarze osiągnęli sławę, ponieważ rozwinęli w sobie zdolności twórczej wyobraźni i połączyli ją ze swymi talentami i predyspozycjami.

Zarówno twórcza, jak i syntetyczna zdolność wyobraźni stanie się bardziej wrażliwa, jeśli będziemy ją doskonalić i rozwijać.

Pragnienie wyraża myśl, jest impulsem, często mglistym i efemerycznym, dość abstrakcyjnym i dopóki nie zostanie przeniesione w fizyczny odpowiednik, nie ma wartości.

Syntetyczna wyobraźnia jest najczęściej stosowana do formowania impulsów, pragnień na środki materialne, ale może wyniknąć potrzeba, kiedy równocześnie będziemy musieli sięgnąć i do twórczej wyobraźni.

Każdy z nas może sobie stworzyć wyobraźnię własnej przyszłości, wizję odległych miesięcy, lat.

Dokonania wielkich ludzi nie są rezultatem przypadku, lecz ich wizjonerskiej wyobraźni. Wiele osób odczuwa strach przed tym, co nieznane i to zabija w nich całą inicjatywę.

Albert Einstein powiedział, że wyobraźnia i fantazja są ważniejsze niż wiedza. Wiedza bowiem bazuje na tym co jest już znane, podczas gdy wyobraźnia i fantazja nie znają ograniczeń.

Każdy z nas powinien przyjąć na siebie rolę architekta budującego życie. Wystarczy tylko uchwycić swoje myśli i budować nową rzeczywistość. Nie dopuszczajmy do powstania próżni.

W pewnej zamożnej dzielnicy dużego miasta bogaty człowiek umieścił przed domem okazałą ale pustą klatkę. Zdziwieni przechodnie pytali, dlaczego w klatce nie ma ptaka. Właściciel uśmiechał się i odpowiadał, że nigdy nie miał zamiaru zasiedlać jej. Tym bardziej niezrozumiały był sens wystawienia klatki. Jeden z przyjaciół pana domu postanowił założyć się z nim, że niebawem w klatce umieści ptaka. Zakład miał wysoką stawkę. Ciągle powtarzające się pytania o ptaka znudziły gospodarza. Stały się wprost obraźliwe. Dla własnego spokoju umieścił w klatce skrzydlatego śpiewaka, tym samym przegrywając zakład.

Domyślasz się w jakim celu przytoczyłem ten przykład. Życie nasze musi być nieustannie wypełnione działaniem opartym na wyobrażeniach. Każda chwila Twego życia przynosi Ci nowe rozwiązania. Musisz je tylko umiejętnie wykorzystać.

20. WYOBRAŹNIA - OGNIWEM DO SUKCESU

Emil Coue stwierdził, że wyobraźnia jest większą potęgą niż siła woli. Kiedy obydwie znajdą się w konflikcie, zawsze zwycięży wyobraźnia.

Potwierdzenie słuszności tego zjawiska znajdujemy w hipnozie. Nasze stare, często niekorzystne wyobrażenia zostają zastąpione nowymi, wywołanymi przez hipnotyzera. Uwalniamy się wówczas od ignorancji, przesądów, ograniczonych przekonań wiekowego myślenia o biedzie. Te nowe wyobrażenia zostają zaakceptowane przez nasz umysł.

Oko jako narząd wzroku, przekazuje nam obrazy, zjawiska, które są wokół nas. Natomiast wyobraźnia jest o wiele bogatsza od wzroku. Ona swoją mocą pozwala widzieć nie tylko to, co jest teraz, ale i to co może być w przyszłości, to o czym marzymy, do czego tęsknimy. Jest to niezbędne na drodze do sukcesu.

Postęp rodzi się w działaniu i to wówczas, gdy jego potencjał potrafimy sobie wyobrazić.

Kiedy architekci, konstruktorzy, inwestorzy planują nowe obiekty na miejscu starych slumsów nie koncentrują się na tym, co widzieli lub widzą w tej chwili, ale na wizji tego, co zamierzają stworzyć. Ich wyobraźnia jest potęgą tworzącą piękne wspaniałe budowle.

Wyobraźnia łączy się nierozerwalnie z marzeniami. Kształtuje ona obrazy przyszłości. Często jest to dom o jakim marzymy, piękny samochód, poprawne stosunki rodzinne jakich pragniemy, dochody finansowe, które mają nam dać zadowolenie, itd.

Wyobraźnia, to czysto duchowy potencjał. Od niej zależą nasze osiągnięcia, sukcesy, wpływy, zadowolenie, bogactwo i radość, szczęście.

Nasze oczy, którymi spostrzegamy rzeczywiste i realne obrazy różnią ludzi tylko kolorem i wielkością. Natomiast wyobraźnia dokonuje ogromnego zróżnicowania, bowiem w zależności od bogactwa osobowości, umysłu, powstają mniejsze lub większe wizje w teraźniejszości i przyszłości. Od tego, jak silne mamy potrzeby, pragnienia, marzenia zależy tworzenie sytuacji, obrazów, scen z naszym udziałem.

Wielu ludzi widzi niejednokrotnie swą przyszłość wypełnioną troskami, kłopotami. Życie ich staje się zwyczajne, nudne, pełne problemów i walk. Ich potrzeby, pragnienia zostają stłamszone.

Marzyciele zaś dostrzegają przyszłość przepełnioną wyzwaniami dającymi im szansę rozwoju, sięgania po to, co jest ich pragnieniem. Na pracę patrzą jak na drogę do awansów, do prestiżu i wielkich nagród. Stosunki międzyludzkie są dla nich czymś radosnym i twórczym. Do domu wnoszą pogodę, spokój i szczęście.

Spotykamy się z życzeniami i marzeniami. Należy umieć je odróżnić od siebie. Życzenie jest pasywne, nie ma tu działania. Po prostu życzę sobie, chcę i nic więcej. Marzenia są podbudowane planem działania, przynoszącym efekty.

Ludzi można podzielić na dwie kategorie: na zwycięzców, czyli takich, którzy ciągle wygrywają i na tych, którzy ponoszą klęski i przegrywają.

Zwycięzcy są aktywni, dynamiczni, pełni pomysłów. Pracują wytrwale nad zamierzeniami, planami powstałymi w umyśle, w wyobraźni. Wierzą, że to co robią zaprowadzi ich do upragnionego celu do sukcesu.

Przegrywający są ludźmi pasywnymi. Oni czekają, że coś samo do nich przyjdzie. Nie chcą pobudzić swojej wyobraźni, a samych siebie do działania. Z biegiem czasu spowoduje to w nich przekonanie, że są urodzeni pod "złą gwiazdą", że mają pecha, że brak im szczęścia.

Tylko poprzez świadome ćwiczenia, przez korzystanie z błogosławieństw, jakie ofiaruje nam wyobraźnia, możemy wzlecieć na szczyty.

Traktujmy zatem naszą wyobraźnię z dużym szacunkiem i zaufaniem. Dziękujmy za ten cudowny dar jakim nas obdarzyła natura.

21. KSIĘGA WYOBRAŻEŃ

"Księga wyobrażeń" jest potężnym narzędziem, które odnawia nasz system przkonań. Tu odnajdujemy nasze własne odczucia, widzenia, dążenia i doświadczenia.

"Księga wyobrażeń" odwołuje się bezpośrednio do tej części mózgu, która reaguje na uczucia, wyobrażenia i pamięć wzrokową.

Często mózg nasz tworzy wyobrażenia, obrazy, w których musimy umieć wyróżnić to, co jest wyimaginowane, od tego, co rzeczywiste. Zdarza się, że nie potrafimy odrzucić z naszych wyobrażeń rzeczy nieprawdziwych, złych, nieważnych.

Nieustannie jesteśmy w kontakcie z zewnętrzną rzeczywistością, którą akceptujemy lub odrzucamy. Odbiór tego dokonuje się w naszym tajemniczym warsztacie, jakim jest umysł.

Właściwie użyta "Księga wyobrażeń" ogniskuje się na ciągle nowych elementach, jakie wybrałeś. One rzutują na ekran Twej twórczej wyobraźni. Produktem wyobrażeń są obrazy i symbole słowne, które Twoje wyższe "Ja" wybiera dla bardziej jasnego zdefiniowania, czym ono naprawdę jest i co rzeczywiście pragnie osiągnąć. Twoje wyższe "Ja" jest pomyślne, ufne, wolne od lęku i zdolne do spowodowania zadziwiających zmian w Tobie i w Twoim życiu.

Poprzez zogniskowanie energii na cechach dobrej jakości, których gorąco pragniesz, na zdarzeniach, jakich chcesz doświadczyć, Twoja twórcza wyobraźnia będzie sprawiać, że one będą stawały się rzeczywistością.

Używaj "Księgi wyobrażeń", aby pomagała Ci przezwyciężyć defekty i niedociągnięcia, przez stworzenie takich stronic, które odzwierciedlają Twoją siłę, cele i aspirację.

22. CO POMAGA W KONSTRUOWANIU "KSIĘGI WYOBRAŻEŃ

W tworzeniu "Księgi wyobrażeń" mogą być pomocne wycinanki. Z różnych gazet, magazynów, katalogów wycinaj obrazki, słowa zdania, które opisują Twoją rzeczywistość oraz to, co pragniesz realizować i osiągnąć, jak widzisz siebie w najbliższej i dalszej przyszłości, czego oczekujesz. Twórz z tych wycinanek sytuacje, o jakich marzysz, nanoś swoje koncepcje, nowe idee, zdarzenia, nawet takie, które wydają Ci się nieprawdopodobne czy żenujące. Dzięki temu będziesz szybciej i łatwiej identyfikował się z nowymi wyobrażeniami, jakie przedstawiasz, gdyż umysł Twój przestawi automatycznie Twoją osobę w miejsce tej na obrazku.

Przygotuj jedną lub więcej scenek przedstawiających aspekty Twojego życia, które pragniesz zmienić, rozwinąć, rozszerzyć. Powinny one opisywać pozytywne wewnętrzne wartości, takie jak: męskość, kobiecość, pewność siebie, Twą ciepłą i kochającą naturę. Niechaj ukazują Ciebie jako czułego, troskliwego małżonka, rodzica, przyjaciela. Pozwól tu, aby Twoja rozwijająca się natura duchowa znalazła odbicie, aby koncepcje na życie przeszły transformacje.

Wszystko to zaowocuje, będzie widoczne w Twym wyglądzie fizycznym, stylu ubierania się i odżywiania, w nastawieniach do siebie i do ludzi z Twego otoczenia. Życie nabierze dla Ciebie wartości i sensu.

23. JAK KORZYSTAĆ Z "KSIĘGI WYOBRAŻEŃ"

Systematyczne zaglądanie i zastanawianie się nad utworzoną "Księgą wyobrażeń", choćby przez kilka minut, przyniesie fantastyczne osiągnięcia. Przeglądaj zatem co dzień stronice Twej Księgi, najlepiej rano przed rozpoczęciem działań i wieczorem, po zakończeniu pracy.

Oglądaj obrazki, scenki, podpisy, pojedyncze wyrazy, wyrażenia i myśli. Miej przekonanie, że widzisz siebie i to w sytuacji już minionej. Odczuwaj, że wszystko już spełniło się, że osiągnąłeś już to, czego pragnąłeś.

Pamiętaj, że Twoja twórcza wyobraźnia nie rozróżnia, co jest rzeczywiste, a co jest tylko wyobrażeniem. Dlatego wszystko musi mieć czas teraźniejszy. Działasz, myślisz, tworzysz, czujesz, w tej chwili, teraz.

Stronice Książki działają jak afirmacje, jak modlitwy w formie wizualnej i jak cele mocno zakorzenione w Twoim umyśle.

Codzienna koncentracja uwagi na nich, pobudzi do aktywnej pracy Twój umysł. Będzie on sprawnie funkcjonował dla Ciebie. Koncepcje połączone z uczuciem podniecenia i powtarzane w umyśle, będą działały na Twoją korzyść.

Początkowo będziesz zaglądał na karty swej Księgi przez krótkie chwile, ale kiedy dojrzysz w nich większe problemy, zaczniesz zatrzymywać się dłużej, a nawet będziesz rozbudowywał naniesione sytuacje o nowe elementy.

Świadomość, że podejmujesz działania dla osiągnięcia wewnętrznych i zewnętrznych celów, uczyni Twoje życie bardzo pasjonującym, interesującym i pełnym ekspresji.

Co wnosi w Twoje życie codzienne przeglądanie "Księgi wyobrażeń"?

- Kiedy przeglądam moją "Księgę wyobrażeń", jej stronice stają się dla mnie żywe.

- Odczytuję moje afirmacje z pozytywnymi, oczekującymi i szczęśliwymi uczuciami, wierząc, że one się spełnią.

- Jestem świadomy moich wewnętrznych negatywnych głosów, które mi mówią, że nie osiągnę sukcesów w upragnionych zamierzeniach i celach. Głęboko wierzę, że zachodzą pozytywne zmiany w moim życiu. One to zobrazowane w mojej Księdze pokonują wszystkie negatywne wątpliwości.

- Na kartach widzę swoje rzeczywiste życie i dzięki temu staram się czynić je doskonalszym.
- Moje afirmacje zawierają dynamiczne, opisujące słowa na wyrażanie moich uczuć i celów.
- Jeśli zaistniały niepomyślne dla mnie sytuacje, sięgam po "Księgę wyobrażeń", która pozwoli mi zachować pozytywne uczucia i pełną ufność.
- Kiedy precyzyjnie określę upragnione zmiany, natychmiast modyfikuję moją Księgą, aby odzwierciedlała nowo nakreślone cele.
- Kontroluję postępy dla udowodnienia sobie, że zbliżam się do moich celów.
- Ustalam codzienne przyzwyczajenia do pracy z "Księgą wyobrażeń".

Wierzę, że człowiek może się odrodzić do prawdziwego i godnego życia w każdym momencie swojej egzystencji. Wypełniając do końca wolę Bożą może - nie tylko stać się wolny - ale także zwyciężyć zło".

Tomasz Merton

24. WIARA FUNDAMENTEM NASZYCH MOŻLIWOŚCI, DZIAŁAŃ I OSIĄGNIĘĆ

Do osiągnięcia pomyślności potrzebna jest wiara.

W Ewangelii Św. Marka (9 ; 23) czytamy: "Wszystko możliwe jest dla tego, kto wierzy".

Czym jest wiara? Co to znaczy wierzyć?

Wiara nie ma takiego samego znaczenia dla wszystkich ludzi. Jest ona niezaprzeczalnie fundamentalną siłą do realizacji wszystkich poczynań.

Wiara jest pozytywnym, ukierunkowanym aktem woli.

Ideałem jest wiara wypływająca z naszej duszy, z naszego wnętrza, ze świadomości istnienia w nas Boskiej Obecności.

Nauczono, nas abyśmy myśleli o wierze jak o magicznym katalizatorze, który sprawia, że Bóg ma dla nas coś zrobić, a nawet za nas.

Wiara nie sprawia tego, ani też nie przyczynia się do wyzwolenia jakiejś cudownej siły. Wiara po prostu kieruje nas w stronę niezwykłej Obfitości, która jest zawsze obecna.

Problem ten możemy wyjaśnić w oparciu o elektronikę.

Kiedy nastawnik oporowy jest połączony z kontaktem elektrycznym, w pokoju lub w momencie zmiany natężenia światła w teatrze, możemy obserwować przepływ prądu. Porównajmy to do cudownego przepływu dostatku.

Gdy skala nastawnika oporowego wzrośnie, otrzymamy więcej światła, kiedy zaś obniżymy natężenie, to siła przepływająca przez żarówkę spadnie i w wyniku tego mamy słabsze światło.

Nie ma w tym żadnego cudu. Ta sama elektryczność jest stale w przewodach, bez względu na to, na jaką wysokość nastawimy nastawnik oporowy.

Niska skala nastawnika jest jakby niskim poziomem świadomości, który ogranicza przepływ substancji. Zaś wysoka skala to jak koncentracja wiary, otwierająca drogę do doświadczania bogactwa i wielkiej obfitości.

Wiara łączy się z prawem, zasadą, a nie kaprysem. Myślenie o cudach może wprowadzić zamęt w naszym widzeniu świata. Substancja Boża jest twórczym źródłem, które będzie płynąć naprzód, jeśli tylko stworzymy ku temu odpowiednie warunki - rezultat jest zapewniony.

Wiara nie jest czymś nieokreślonym, ale jest to raczej pozytywnie ukierunkowany akt woli.

Energia jest w Tobie, bo Ty sam jesteś zmaterializowaną energią.

Wiara połączona z rzeczywistością uwalnia różne zachowania i skostniałe poglądy.

W czasach, przed odkryciem dokonanym przez Kolumba, ludzie wierzyli, że Ziemia jest płaska, choć była ona stale kulista. Po ogłoszonych odkryciach Kolumba i Magellana wiara nie zmieniła rzeczywistości, ale tylko sposób nastawienia do niej.

Wiara angażuje nas i tworzy warunki do powstawania potrzeb. Jeżeli uwierzymy w brak i niedostatek i poświęcimy temu więcej uwagi, to istotnie doświadczymy tego. Natomiast, gdy skoncentrujemy się siłą naszej myśli na obfitości, wówczas nastawnik pójdzie w górę i w naturalny sposób przyniesie nam sukcesy i polepszenie naszej sytuacji.

Ta fundamentalna prawda jest podstawą, na której muszą być budowane wszystkie programy, prowadzące do uzyskania pomyślniści.

Wszelkie niedobory to trwanie w świadomości płaskiego świata. Kiedy wierzysz w ciemność, nie obejrzysz światła. Gdy skoncentrujesz swoją świadomość na pozytywnej wierze dojrzysz bez trudu światło Prawdy.

Najbardziej rozprzestrzenioną i najgroźniejszą "chorobę" naszych czasów można określić mianem "nie mogę".

Wielu z nas nabywa ją we wczesnej młodości od dorosłych. Społeczeństwo zrobiło z niej niemal pieśń, która nie ma ani rytmu, ani sensu, lecz słychać ją wszędzie:

Nie mogę, bo jestem biedny.

Nie mogę, bo jestem chory.

Nie mogę, bo nie mam możliwości.

Nie mogę, bo jestem stary.

Nie mogę, nie mogę, nie mogę...

Czy i Ty nie śpiewasz tej pieśni?

Odrzuć zdecydowanie słowa "nie mogę", a zacznij identyfikować się z siłą, która pomoże Ci w każdym przedsięwzięciu.

Nie jesteś przecież przeciętną osobą, lecz unikalną indywidualnością kosmicznego twórczego procesu. Musisz powiedzieć śmiało i z całą mocą: **Mogę, ponieważ jestem.** Oczywiste jest, że żyjesz w ciągle zmieniającym się świecie i możesz odczuwać konieczność różnych potrzeb. Prawda wymaga, abyś uświadomił sobie swoje potrzeby. Ich spełnienie nie ma żadnych ograniczeń. Istnieją tylko ograniczające myśli, które mogą uniemożliwić ich realizację.

Gdyby Alpy wydały się Napoleonowi tak trudne do pokonania zimową porą, jak jego doradcom, to nigdy nie próbowałby tego dokonać. On jednak skoncentrował swoją świadomość i powiedział: "Nie powinno być Alp". nie zaprzeczył istnieniu tych potężnych gór, lecz uznał, że są możliwe do sforsowania.

Jest to adekwatne do nas, do naszego życia, które toczy się często w obliczu trudności i wówczas należy powiedzieć sobie: **Nie ma przeszkód dla mnie, nie ma sytuacji bez wyjścia.**

Tu, gdzie jesteś, na Twym aktualnym poziomie rozwoju, istnieje bezpieczne źródło mądrości, zdolności, twórczej substancji. Wszystko to możesz i powinieniś wykorzystać w działaniu, aby osiągnąć, czego oczekujesz.

Przyjdzie to wszystko z łatwością, jeśli uwolnisz się od samoograniczającego Cię pesymizmu i wówczas, gdy uwierzysz.

Zadziwi Cię ilość wspaniałych rzeczy będących Twoim udziałem. Rozwiniesz bardziej pozytywne wyobrażenie o samym sobie i koncentrujesz wiarę na otaczającej Cię sile cudownego procesu, zachodzącego wewnątrz Twojej duszy.

Jeżeli chcesz uzyskiwać coraz większe osiągnięcia, prowadzące do perfekcji, musisz nad sobą systematycznie pracować. Nie wolno spocząć i powiedzieć: Wszystko osiągnąłem, to już szczyt mojej doskonałości.

Spójrz na sportowca, muzyka, malarza. Czy oni po zdobyciu najwyższych laurów stają się bierni? Nie, bo brak aktywności doprowadziłby do zniszczenia ich osobowości i tego, co już zdobyli. Bez doskonalenia umiejętności następuje zastój. Człowiek zatrzymuje się w miejscu, a nawet cofa w rozwoju.

Należy mieć ciągle nowe cele i pomysły do ich wykonania, wykorzystując pełną świadomość i wiarę.

Nasz rodak, wielki pianista Ignacy Paderewski, grał kiedyś przed bogatą i dostojną publicznością. Po wspaniałym koncercie elegancka dama wykrzyknęła w ekstazie do artysty: "Mistrzu, pan jest geniuszem". Wirtuoz odpowiedział wesoło: "O tak, pani, lecz zanim zostałem geniuszem, byłem małym muzykiem".

Do sławy droga jest długa i mozolna. Nawet w okresie szczytowej kariery każdy fenomenalny koncert poprzedzał Paderewski godzinnymi ćwiczeniami.

Jeśli chcesz osiągnąć cel, musisz tego ogromnie pragnąć. Johann w. Goethe powiedział: "Pragnienie jest poczuciem naszych wewnętrznych możliwości i umiejętności oraz zwiastunem i pewnym gwarantem osiągnięć".

Coraz więcej rzeczy staje się obiektem naszych pragnień, między innymi bogactwo ma stanowić o dobrobycie. Czy istotnie tak jest? Często ludzie mówią o dobrobycie, o tym wszystkim, co przedstawia dla nich wartość materialną. I mogłoby się wydawać, że są szczęśliwi. W ich głosie wyczuwa się smutek, a to dla tego, że gdzieś istnieje wielka pustka, której nie mogą wypełnić żadne zdobyte bogactwa. Nie mogą one zastąpić wewnętrznych bogactw duchowych.

Buduj zatem swoją świadomość na wierze w stabilność swej wewnętrznej pełni.

Silna wiara jest zgodą na to, aby Twoja wyjątkowość i niepowtarzalność rozwinęła się i w całej krasie mogła wypełnić Twoje życie.

Warto przyjąć jako życiowe credo, słowa Pana Jezusa: "Wszystko możliwe jest dla tego, kto uwierzył".

Nie możesz osiągnąć czegoś, co nie jest wyrazem **Twojego** wewnętrznego potencjału. Może zdarzyć się, że to, co zdobyłeś, łatwo stracisz. Czasem dzieje się tak w dokonanym chirurgicznie przeszczepie, w procesie którego może nastąpić odrzucenie obcego ciała przez organizm.

Wiara jest wiedzą o tym, że każda potrzeba może być zaspokojona.

Wiara jest świadomością, że Bóg, który mieszka w Tobie, zawsze jest gotów spieszyć Ci z pomocą.

Zanim powstaną pragnienia w Twoim umyśle, nim odczujesz potrzebę uczynienia czegoś, Duch poruszy Cię i skieruje na odpowiednią drogę. Gdy zrozumiesz kosmiczne pochodzenie swych pragnień, rola wiary będzie miała zupełnie nowe znaczenie. Wiara jest Twoją zgodą, jest Twoim "tak" na formujące się twórcze procesy. Potrzebna jest ogromna dyscyplina świadomości i nieustanne praktykowanie umacniania wiary.

Dzięki wierze zdobywasz pewność, że Twoje potrzeby będą zaspokojone. Kiedy poznasz realną siłę swojego życia, nie będziesz martwił się o nie. Będziesz żył wśród radosnego doświadczenia, bez lęku i niepewności. Kieruj nieustannie umysłem swojej wewnętrznej świadomości. Przebudzenie Twoje wobec wiedzy o tym, kim jesteś i tego, co jest Twoim dziedzictwem, jest najważniejsze.

Kiedy uwierzysz z całą mocą w to, co chcesz zrobić, znajdziesz sposób, jak tego dokonać.

Tragedia polega na tym, że wielu z nas jest przekonanych, że przyszłość nie może już w nas nic zmienić, wleczemy za sobą ciężar swoich niepowodzeń. Możesz stworzyć dla siebie nową perspektywę, nową nadzieję na przyszłe dobro.

Możesz rozwijać się, robić postępy, być bogaym, mieć powodzenie, jeśli tylko w to uwierzysz. Możesz dokonać wszystkiego, czego zapragniesz, zgodnie ze swoimi potrzebami wewnętrznymi. Musisz tylko włączyć energię i umiejętności konieczne do osiągania celów.

Brak wiary to bardzo negatywna siła. Ona zniechęca, wyłącza Twój wewnętrzny potencjał. Nie wolno mieć chwili zwątpienia.

Kiedyś przeczytałem opowiadanie o przeżyciach lotnika, którego sytuacja zmusiła do lądowania w groźnych, ośnieżonych Andach.

Przez kilka dni pilot przedzierał się przez śniegi szukając ocalenia. W swej trudnej wędrówce stanął przed dużą i niebezpieczną szczeliną. Zorientował się, że ma dwie możliwości do wyboru:

1. Zrezygnować z walki i poddać się. Wówczas groziła mu śmierć.
2. Dokonać próby skoku, mimo niewielkich szans na powodzenie.

Wybrał walkę o życie. Uwierzył w siebie. Zamknął oczy i skoncentrował się wewnętrznie. Z rozbiegu dokonał skoku krzycząc głośno: "Mogę, mogę!" Znalazł się szczęśliwie po drugiej stronie. Wkrótce ekipy ratunkowe odnalazły go.

Wiara tego człowieka nie była magicznym mostem. Nie był to zapewne cud. To, czego dokonał, było wynikiem ogromnej koncentracji wysiłku umysłowego i nadzwyczajnej siły jego mięśni. To ufność i wiara uruchomiły przepływ energii z Bożego Potencjału do jego wnętrza.

Potęga wiary jest motywacją i siłą do pełnego sukcesu życia.

Historia zna bardzo wielu ludzi, którzy osiągnęli niezwykłe sukcesy dlatego, że mocno wierzyli.

Benjamin Franklin chodził do szkoły tylko jeden rok. Później sam się uczył (pisania na potrzeby prasy, finansów, polityki, dyplomacji; opanował cztery języki obce). Mając 12 lat zaczął pracować. W wieku 14 lat mocno uwierzył, że może zostać wielkim pisarzem. Osiągnął marzenie. Spod jego ręki wyszedł "Almanach biednego Ryszarda" i "Autobiografia" - chętnie czytane przez społeczeństwo amerykańskie.

Był naukowcem. On to "ściągnął" ładunek elektryczny z chmur za pomocą latawca. Wprowadził pojęcie ładunku elektrycznego dodatniego i ujemnego. Opracował koncepcję baterii i kondensatora. Wynalazł bezpieczny i prosty piorunochron. W wieku 78 lat wynalazł dwuogniskowe szkła do okularów. Był pionierem hydrodynamiki. Utworzył Akademię Nauk, pierwszą bibliotekę narodową i muzeum oraz pierwszy urząd patentowy.

To nie wszystkie jego zasługi.

Jak on to wszystko osiągnął? Wierzył, mocno wierzył, że jest w stanie dokonać wielu rzeczy.

Uzyskiwał to z dużą łatwością dzięki doprowadzeniu do perfekcji sztuki pokonywania trudności.

Louis Pasteur - mocno wierzył w zwycięstwo wypowiadając wojnę zarazkom i insektom.

Opracował szczepionki, surowice, leki ratujące od śmierci wiele istnień ludzkich.

Nasza rodaczka Maria Curie Skłodowska wierzyła w sukces. Wiele lat studiowała, często była głodna. Mieszkała na poddaszu bez okien i elektryczności.

Zrealizowała swoje życiowe plany. Dwa razy otrzymała nagrodę Nobla za wybitne osiągnięcia w zakresie fizyki i chemii. Odkryła i wyodrębniła nowy pierwiastek, który nazwała radem. Jej odkrycie zmieniło bieg nauki i medycyny.

Myślę, że często wypowiadane maksymy: "Wiara czyni cuda; wiara góry przenosi; wiara uzdrawia", mają swój głęboki sens.

Osiągniesz wszystko co chcesz, jeśli tylko w to uwierzysz.

Na koniec tych rozważań przytoczę bardzo mądrą przypowieść "Przeznaczenie w rzucie monetą."

Wielki japoński generał Nobunaga postanowił zaatakować, mimo, że miał tylko jednego żołnierza na dziesięciu nieprzyjaciół. Był pewny zwycięstwa, ale jego żołnierzy dręczyło wiele wątpliwości. Kiedy szli do walki, zatrzymali się w sanktuarium sintoickim. Po modlitwie Nobunaga wyszedł i powiedział:

- Teraz rzucę monetę w powietrze. Jeśli wyjdzie awers, wygramy; jeśli rewers, zniszczą nas. Przeznaczenie ukaże nam swoje oblicze.

Rzucił monetę i wypadł awers.

Żołnierze wpadli w taką ochotę do walki, że nie mieli żadnych trudności z jej wygraniem.

Następnego dnia adiutant powiedział do Nobunagi:

- Nic nie może zmienić oblicza przeznaczenia.

- Tak jest - odparł Nobunaga, pokazując mu fałszywą monetę z awersem po obu stronach.

Siła modlitwy?

Siła przeznaczenia?

Albo moc wiary, że nastąpi to, czego się spodziewamy.

("Śpiew ptaka" - Anthony de Mello)

25. KONCENTRACJA

Brak koncentracji to słabość, która powstrzymuje przed samookreśleniem siebie. Dlatego, w trosce o osobisty wzrost należy pielęgnować sztukę koncentracji.

Często nasze myśli zbaczają z wyznaczonego toru. Musimy czuwać nad ich przebiegiem. Widziałem studentów, którzy zaczynali poranną medytację z papierosem w ustach, kawą i głośno włączonym radiem. To nie sprzyjało ich koncentracji, która daje moc. A czy nie wykonujemy czasem jakiejś ważnej pracy przy włączonym telewizorze i do tego jeszcze prowadząc pogawędkę przez telefon?

Co osiągniesz wykonując kilka czynności równocześnie przy braku koncentracji? Tylko stracisz sporo czsu, energii, i rozproszysz myśli nic nie uzyskując w zamian.

Koncentracja jest włączona w wyższe pragnienia. Ona to gromadzi wszystkie Twoje moce, skupia w jednym punkcie. Kiedy podążasz do bogatego, pełnego życia, powinieneś przede wszystkim zdać sobie sprawę z ważności dyscypliny koncentracji, cierpliwości i nade wszystko wiary. Jeśli to uwzględnisz, nic nie będzie Cię ograniczało w przyjmowaniu darów życia. Życie rozwija się wewnątrz Ciebie. To, co widzisz na zewnątrz jest wynikiem Twoich wewnętrznych myśli. Życie jest takie, jak je sobie zaprogramujesz w swoim wnętrzu.

Gdy szukasz najpierw królestwa wewnątrz siebie, to wszystkie rzeczy zewnętrzne, których pragniesz będą Ci dane. W ten sposób prawo i słowo służą temu, by Twoje życie rozwijało się i rozkwitało.

26. AFIRMACJE

Wszystko to ,czego pragniesz lub potrzebujesz, może Ci się zdarzyć i zdarzy się, ale do tego potrzebne jest Twoje "tak". Musisz mówić "tak" zarówno do rzeczy, jak i warunków, które jeszcze nie stały się rzeczywistością.

W realizacji tego "tak" będą służyły Ci **afirmacje**.

Cóż to takiego?

Są to pozytywne deklaracje, zwykle wymawiane głośno, które chcemy aby stały się prawdziwe. Przez nie będziemy wpływać na swoje własne myśli, uczucia, a przez to na własne życie.

Możesz afirmować istnienie pozytywnych wartości dotyczących bezpośrednio samego siebie, jak również, pozytywnych faktów mających związek z życiem.

Afirmacje posiadają ogromną moc. Mogą wprowadzić nadzwyczajne zmiany w Twoim życiu, ale musisz wierzyć, że są one **skuteczne**.

Afirmacje reprezentują prawdę o Twoim Wewnętrznym Wyższym Bycie. Nie są więc stwierdzeniami zewnętrznych faktów w danym momencie. Inspirują i motywują Cię, kiedy wypowiadasz lub powtarzasz je z tym samym nasileniem uczuć, jakby one już były dokonane, były prawdziwe.

Do stworzenia afirmacji potrzebne Ci będą poniższe wskazówki:

Bądź osobisty. Używaj: Ja, mój, mnie lub swego imienia.

Bądź pozytywny: Jestem inteligentny, mam bystry umysł.

Używaj czasu teraźniejszego: Promieniuję ciepło i przyjaźń do wszystkich ludzi jakich spotykam.

Wyrażaj swoją afirmację, jakbyś ją już osiągnął: Mam swoją idealną wagę.

Zmień siebie: Jestem szczęśliwym rodzicem.

Używaj słów wyrażających działania: Podejmuję w każdej chwili odpowiedzialność za swoje myśli i uczucia.

Nie porównuj się do kogokolwiek: Jestem sumienny cieszę się autorytetem.

Bądź realistyczny: Przewiduj i planuj z wyprzedzeniem.

A oto przykłady kilku afirmacji:

Jestem piękną kobietą. Jestem przystojnym mężczyzną. Mam atrakcyjne fizyczne rysy, szczupłe i zdrowe ciało. Osiągam wszystko to, czego pragnę dokonać dzisiaj. Czynię to z miłością i z entuzjazmem. Lubię ludzi i oni lubią mnie. Przychodzą mi teraz pomysły, które będą mi pomagały osiągnąć cele. Przyjmuję je z wdzięcznością i wprowadzam w życie. Wydaję moje pieniądze mądrze i odpowiedzialnie. Lubię pieniądze. Używam ich konstruktywnie i twórczo. Wydaję pieniądze z radością, a one powracają do mnie pomnożone tysiąckrotnie. W trudnościach szukam pożytku i korzyści. Wytrwale dążę do wyznaczonego celu, dziękuję za lekcje, które wzbogacają moje doświadczenie.

Przemyśl swoje własne cele. Wypisz na kartce kilka najbardziej dla Ciebie istotnych afirmacji i wymawiaj je na głos parę razy w ciągu dnia. Rób to z pełną wiarą i przekonaniem, że to, o czym marzysz, do czego dążysz już osiągnąłeś. Powtarzaj swoje afirmacje systematycznie, a przekonasz się o skuteczności tych ćwiczeń.

27. PRZEKONANIA

Z wiarą silnie wiążą się nasze przekonania. Są one myślą, ideą wzmocnioną przez wyobraźnię i uczucia.

Wszystkie codzienne działania i uczucia wypływają z naszych przekonań.

Również emocje powstają z przekonań.

Przekonania akceptujemy i nie kwestionujemy ich, ponieważ występują w naszym umyśle jako stwierdzenie faktów oczywistych, nie podlegających dyskusji.

Przekonania nie mogą być narzucone. Nie można nikogo zmuszać do ich zmiany. Można modyfikować pewne przekonania, ale to wymaga sporego wysiłku. Przekonania rosną w czasie i w przestrzeni.

Nowe przekonania stworzą nową rzeczywistość, ponieważ będą się fizycznie materializowały. Twoja podświadomość będzie przesyłała Ci impulsy i intuicję, aby Ci podpowiedzieć, co masz czynić, aby spełnić pragnienia Twoich nowych przekonań.

Przekonania odgrywają bardzo ważną rolę w Twoim życiu. Dzięki nim możesz dokonywać bogatych zmian wewnętrznych w sobie.

Dr Cornell Hart profesor socjologii na Uniwersytecie Duke napisał bardzo interesującą książkę: "Autowarunkowanie, nowy sposób na pomyślne życie". Podaje on między innymi technikę pozwalającą utwierdzić siebie w przekonaniu, że stajesz się lepszy wypowiadając zdanie: "Poprawiam się każdego dnia".

Musisz wypowiadać to zdanie z pełną dynamiką każdego dnia i z przeświadczeniem, że poprawa nastąpiła.

Francuz Emil Coue odniósł ogromny sukces wypowiadając z pełnym przekonaniem taką myśl: "Wierzę, że jeśli człowiek myśli sercem, to staje się lepszym". Powinniśmy wypowiadać takie lub inne zdania, aż coś twórczego obudzi się w nas, a dobro przemieni nasze życie.

"Rozwijam się każdego dnia."

"Za każdym razem, kiedy pokonuję trudności, jestem silniejszy i dalej widzę."

"Staję się mądrzejszy z każdym dniem."

"Z każdym dniem jest mi pod każdym względem coraz lepiej i lepiej." - E. Coue

Przekonania są źródłem naszych codziennych działań. Odgrywają ważną rolę w życiu. Mają wpływ na nasze postępowanie i zachowanie. Dlatego też każdy powinien być świadomy ich znaczenia.

28. MOTYWACJE

Motywacja jest jednym z ogniw na drodze do każdego celu, do sukcesu.

Motywacja, to uzasadnione wyjaśnianie pobudek, inaczej bodziec, pobudka, powód do działania.

Kiedy podejmujesz się jakiejkolwiek działalności, robisz to ze ściśle określonego powodu. Coś na Ciebie zadziałało, to coś spowodowało aktywność.

Motywacja musi dostać odpowiednią pożywkę, aby nastąpiło działanie. Może nią być wsparcie innych ludzi, chęć polepszenia własnej sytuacji, zachęta, pochwała.

Uzasadnienia swoich czynów, dążeń czyli motywacji trzeba się uczyć. Przez to zyskasz moc i wpływy.

Niedawno spotkałem rodaków, młode małżeństwo. Są oni mocno zaangażowani w nadzwyczaj intratny, wielopoziomowy, marketingowy biznes. Rozpoczynali przed trzema laty od zera. Obecnie dysponują olbrzymim majątkiem i organizacją liczącą kilka tysięcy ludzi.

Spytałem, co się stało powodem do ich działalności.

Motywem była chęć pracy dla siebie, "na własny rachunek" i zdobycie środków finansowych na zaspokojenie wymarzonych celów.

Całą uwagę skoncentrowali na przyciągnięciu ludzi do biznesu. Ukazywali im jak można zdobyć powodzenie, jak pozyskać następnych ludzi do rosnącej organizacji.

Nie było to łatwe. Metodą prób i błędów dochodzili do nowych odkryć i nowych osiągnięć.

Pracę opierają na "pokazywaniu, wskazywaniu, doradzaniu, szkoleniu". Jest to nic innego jak wzajemna pomoc, wspieranie się, pomaganie.

Własny, osobisty przykład staje się większym bodźcem do działania, niż samo tylko mówienie co ma się zrobić.

Pokarmem dla naszego "ego" są pochwały. Wszyscy przepadamy za nimi. Pochwała dopinguje, zachęca do lepszych wyników w pracy, w sporcie, w życiu rodzinnym i towarzyskim.

Nie żałujmy pochwał ani dla najmłodszych, ani dla dorosłych.

Poprzez szczerą pochwałę, zyskasz ludzi do współpracy, wywołasz uśmiech, zadowolenie i radość.

Mówiąc komuś, że wygląda ładnie, że jest gustownie ubrany, uzyskujemy w zamian przychylność. Wielu ludzi wydaje pieniądze na stroje, fryzjera, ćwiczą w pocie czoła, aby zgubić kilka kilogramów wagi. Robią to w tym celu, aby czuć się lepiej, poprawić swą kondycję fizyczną, być zdrowym i usłyszeć miłe słowa o swoim wyglądzie.

Ofiarowanie pochwały, uśmiechu, serdeczności nic nie kosztuje, a wiele może pomóc. Niedawno w supermarkecie spotkałem panienkę, która przyrządzała pizzę. Pochwaliłem jej wyroby i zamówiłem moją ulubioną "De Lux" pizzę. Dokonałem zakupów i wróciłem odebrać zamówienie. Z miłym uśmiechem wręczyła mi wspaniałe dzieło. Miała wiele doskonałych składników, a kolorystyka zachwyciła moje oczy. Żadna pizza nie smakowała mi w życiu lepiej niż ta, którą przyrządziła ta młoda osoba, bowiem włożyła w nią swoje serce i radość, w zamian za usłyszaną ode mnie pochwałę i uznanie.

Życie nasze bazuje na przyjemnościach i bólu. W związku z tym rodzą się nasze motywacje do poszukiwania przyjemności i unikania bólu.

Wszyscy ulegamy motywacji. Nie ulegają im tylko umarli.

Nadchodzi w życiu każdego z nas okres, że dorastamy, kończymy edukację i podejmujemy pracę. Dlaczego to robimy? Pojawiają się powody. Pracujemy, aby mieć pieniądze, służyć innym, pomnażać osiągnięcia, zdobywać sukcesy, szacunek, uznanie, itd.

Ale praca będzie bardziej wydajna i wykonywana z zadowoleniem, kiedy będziemy doceniani przez naszych zwierzchników, obdarzani zaufaniem i uśmiechem przez kolegów, wyróżniani pochwałami i nagrodami.

Motywacja może być bardzo różna do tych samych rzeczy. Przeprowadzono eksperyment wśród grupy robotników amerykańskich, francuskich, i holenderskich w średniego rozmiaru zakładach produkcyjnych. Celem było uszeregowanie pod względem ważności, piętnastu cech motywujących ludzi do pracy.

We Francji, dla pracowników najważniejszym czynnikiem motywującym było poczucie przynależności do grupy.

W Holandii - dobre traktowanie.

W Stanach Zjednoczonych - uznanie.

Europejczycy bardziej cenili sobie sprawy socjalne, miłą atmosferę w pracy, poprawne stosunki między ludźmi i dobre traktowanie.

Natomiast u Amerykanów dominowało pragnienie uznania, bycia w centrum zainteresowania.

Nie lękajmy się słów, które podkreślają to co nowe, ładne, pożyteczne i przyjemne.

Moja mama była szczęśliwa, kiedy zauważałem jej nowe suknie czy kostiumy, w których widziałem ją po raz pierwszy.

Cieszyła się, że choć jeden mężczyzna w domu dostrzega jej nowe kreacje.

Drugim mężczyzną był mój ojciec, on zauważał nowe ubiory mamy dopiero po roku lub dwóch latach.

Zdarza się, że z "dobroci serca" ratujemy znajomych, pożyczając im pieniądze. Często mamy problem z odzyskaniem ich. Kiedy zwlekającemu z oddaniem dłużnikowi powiemy, że jest nieuczciwy, albo że jest złodziejem, to utwierdzamy go w tym i automatycznie zwalniamy go od obowiązku spłacenia długów.

Należy znaleźć usprawiedliwienie zwłoki w oddawaniu, mówić o uczciwości, solidności tego człowieka. To podbuduje go i będzie robił wszystko, aby zasłużyć sobie na miano uczciwego człowieka.

W ten sposób powstaje szansa, że pieniądze szybciej będą nam zwrócone.

Szukajmy dobra w innych ludziach, a zaczniemy je znajdować.

Nie wolno "odgrywać się" na kimś, kto wyrządził nam przykrość. "Zło dobrem zwyciężaj", tak mówił kapłan, wielki patriota ksiądz Jerzy Popiełuszko.

Na początku każdego działania musi być nadzieja, bez niej nie ma motywacji. Bez motywacji opartej na nadziei nie powstanie konstruktywny wysiłek. Zaś bez tych trzech elementów nie osiągniesz sukcesu. Nadziei trzeba się uczyć i rozumieć ją jako początek dawania sobie rady. Nadzieja i dawanie sobie rady są nierozłączne i prowadzą do osiągania celów. Nadzieja - jest początkiem. Dawanie sobie rady - jest spełnieniem. Czy słyszałeś kiedyś, aby człowiek, który przez całe życie dążył energicznie i z entuzjazmem do swego celu, nie osiągnął go choćby w najmniejszym stopniu?

29. CO TO JEST OSIĄGNIĘCIE?

Osiągnięciem nazwiesz to, co zrobiłeś dobrze, co sprawiło Ci przyjemność, przyniosło satysfakcję i z czego możesz być dumny.

Wieczorem każdego dnia postaraj się skupić i odpowiedzieć na pytanie:

Co najlepszego przytrafiło mi się dzisiaj?

Nawet w najtrudniej przeżytym dniu, można znaleźć coś, co pozwoli stwierdzić, że dzień nie był stracony, że pewne rzeczy były lepsze od innych.

Dokonuj takiej analizy każdego wieczoru, aż stanie się nawykiem wyszukiwanie dobrych elementów i wykluczy koncentrowanie się na przykrościach, na rzeczach dla Ciebie niemiłych.

Zapisuj wszystkie swoje osiągnięcia w dzienniczku. Staraj się wyeksponować cechy, które ujawniły się dzięki Twoim osiągnięciom.

Zastanów się, co one potwierdzają i wydobywają z Twojej osobowości.

W tym co robisz musi być dużo cierpliwości. Jest to najwspanialsza i największa siła, ci którzy jej nie posiadają są biedniejsi wewnętrznie. Cierpliwości i wytrwałości trzeba się nauczyć.

Beniamin Franklin mówił: "Kto ma cierpliwość, będzie miał co zechce".
Idź po swoje sukcesy uzbrojony w te dwie cechy: cierpliwość i wytrwałość.

30. KIEDY OSIĄGAMY PEŁNĄ WOLNOŚĆ?

Co oznacza wolność dla przeciętnej osoby?

Oznacza ona prawo nieskrępowanego wyboru kariery, miejsca zamieszkania, przyjaciół, publicznego wypowiadania swoich opinii, inwestowania środków pieniężnych zgodnie ze swoimi życzeniami, itd.

Percepcja naszej wolności łączy się ze zdolnością żądania i zabezpieczania wszystkich praw, do których korzystania czujemy się upoważnieni.

Czym jest wolność jako zasada?

Wypływa ona z naszej świadomości. Doświadczamy jej wówczas, gdy czujemy się prawdziwie wolni w naszym bycie.

Każdy człowiek inaczej odczuwa zakres swojej wolności. Różnice są rezultatem różnego postrzegania, wynikającego z odmienności każdego z nas.

Często sami stawiamy sobie bariery ograniczające poczucie wolności, przez swoje myśli i uczucia.

Wielu ludzi uważa, że dzielnice, w których mieszkają są niebezpieczne i dlatego rzadko opuszczają swe siedziby. Stają się więźniami we własnych domach.

Ludzie ci są wolni, ale sami pozbawiają się wolności, poprzez niewłaściwe podejście do życia.

Pełną wolność osiągamy wówczas gdy:

Potrafimy uwolnić się od świata materialnego.

Przestajemy przyjmować sądy narzucane nam przez innych.

Stajemy się niezależni.

Śmiało wypowiadamy swe opinie, poglądy.

Żyjemy według własnych kryteriów wartości.

Z poczuciem wolności wiąże się tolerancja wobec innych, co pozwala kochać bez stawiania warunków z pełną akceptacją i sympatią.

Wolność jest wyborem sposobem na życie. Zapamiętaj, że wolność wiąże się z odpowiedzialnością.

Ludzie domagający się wolności słowa dla siebie, muszą mieć świadomość, że inni też mają do tego prawo, nawet gdyby mieli bardzo skrajne poglądy.

Wolność jest w nas, a nie poza nami. Dlatego ci którzy wybrali wolność jako sposób życia, są prawdziwie wolni, niezależnie od tego co im przynosi każdy dzień.

Zachodzi ścisły związek między naszymi doświadczeniami wolności, a doświadczeniami drugiego człowieka.

Najgłębiej pojęta wolność, to ta, która istnieje między ludźmi. Wolność wyizolowana od innych nie przynosi radości i zadowolenia.

Człowiek tak długo nie zrozumie, czym jest wolnść, jak długo niewola nie stanie się jego największym nieszczęściem.

Nie chodzi tu o niewolę zewnętrzną o widok zrujnowanych miast o widok pomordowanych ludzi, lecz o niewolę wewnętrzną, tkwiącą w człowieku. Jest to rozległa pustynia, na której panoszy się bezmyślność, zawiść, wzajemne oskarżanie się, tworzy się międzyludzkie piekło. Człowiek musi wypić do dna kielich własnej niewoli, aby stać się wolnym.

Wolność oparta na prawdzie na, autentycznym zrozumieniu świata tworzy dobro. Aby to dobro panowało w nas musimy pozbywać się wszystkich ograniczeń wolności.

31. CO POMAGA W OSIĄGANIU PEWNOŚCI SIEBIE?

Spotykasz ludzi, o których mówi się: "są pewni siebie" albo "są nieśmiali". Do której kategorii zaliczysz siebie?

Nieśmiałość przeszkadza, nie pomaga w osiąganiu celów, w realizacji zamierzeń.

Myślę, że cechuje Cię pewność siebie, ale w dobrym znaczeniu. Jeśli jest inaczej, będziesz musiał popracować nad sobą, aby te cechy osiągnąć. Możesz stać się takim, jakim zechcesz być.

Istnieje wiele barier powodujących, że człowiek jest nieśmiały, brak mu pewności w podejmowaniu decyzji, w działaniu. Często przeszkodą są lęki i stresy. Musisz się ich absolutnie pozbyć.

Twój rozum pomoże Ci w przezwyciężaniu wszystkich przeciwności i staniesz się pewny siebie.

Musisz nauczyć się rozpoznawania sygnałów płynących z Twego wnętrza.

Kiedy tę sztukę opanujesz wtedy zaczniesz używać ich w każdej chwili, gdy tylko będą Ci potrzebne.

Jeśli odczuwasz niepewność siebie, wykonaj kilka głębokich oddechów, doznaj przyjamnego uczucia odprężenia.

Staniesz się opanowany, czujny, mówiący i działający ze spokojem, bezpieczny, silny i pewny siebie.

Skoncentruj swoje myśli na wewnętrznym symbolu siły. Umysł Twój będzie tworzył w tej chwili nową rzeczywistość.

Nabierzesz pewności siebie przez wytworzenie nawyku pozytywnego myślenia, a co za tym idzie mówienia z pełnym powodzeniem.

Jest to bardzo ważne dla Ciebie. W ślad za tym pójdzie szukanie sposobów na to, aby być konstruktywnym w słowie i działaniu.

Doskonałym ćwiczeniem, które pomaga w opanowaniu pewności siebie, jest powtarzanie kilka razy dziennie zdania: Jestem pewny siebie.

Po pewnym czasie uwierzysz w to i takim się staniesz.

Musisz wierzyć w siebie, w swoje możliwości i umiejętności. To Ci właśnie daje poczucie pewności.

Poprzez systematyczne dążenia nabierzesz swego rodzaju dumy i radości. Będziesz doskonalił swoją drogę do sukcesu. Jestem tego pewien.

32. ZERWANIE Z NEGATYWNYM MYŚLENIEM

Twoje działania często są ograniczone wieloma czynnikami. Jest to wynik złego myślenia, nastawienia. Spróbuj możliwie jasno przedstawić sposób, który wpłynie na zmianę Twego dotychczasowego myślenia.

Błagania, zaklęcia mogą tylko powiększyć i pomnożyć Twoje udręki, których chcesz się przecież pozbyć. Dzieje się tak, ponieważ stosujesz prawo, według którego doświadczenia są modelowane zgodnie z Twoją wiarą. Jeżeli sądzisz, że brakuje Ci czegoś i na tym braku koncentrujesz swoją uwagę, to ten niedostatek odbije się w Twoim twórczym umyśle i w ten sposób braki będą pomnożone. Jest to pewien rodzaj "modlitwy", którą większość ludzi stosuje i zadaje pytanie: Dlaczego pomimo tylu próśb nie otrzymuję tego, o co proszę?

Musisz uwolnić się od negatywnego myślenia. Zerwij kajdany, które Cię krępują. Zwróć swe myśli ku dobru, obfitości, radości. Umysł będzie pracował na Twoją korzyść.

Jeżeli rozejrzysz się teraz wszechpatrzącymi duchowymi oczami, zobaczysz, że życie dało Ci zdrowie, bezpieczeństwo, przyjaźń, itp.

Dokonuj spisu tego wszystkiego dobrego, czego doznałeś do tej chwili w swym życiu. Na pewno będzie to długa lista, ale nie zamkmięta. Możesz cieszyć się wspaniałymi rzeczami, osiągać bardzo wiele, ale musisz się skoncentrować na tym , co chcesz i pragnąć tego bardzo. Pamiętaj, że muszą to być rzeczy tylko pozytywne, przynoszące dobro, korzyści i radość.

Te zdania od dzieciństwa słyszałem wypowiadane z ust mojego Ojca, który zachęcał mnie do realizowania moich pragnień i marzeń. Często tłumaczył, że cokolwiek będę chciał usilnie zdobyć, mogę to osiągnąć poprzez koncentrację, wiarę i wysiłek. Podkreślał, że w swoim życiu osiągnął dużo więcej, aniżeli w młodości mogła mu zaofiarować najwspanialsza fantazja.

Wszechświat jest nieograniczony w swych możliwościach. W przeciwnym razie dawno by się wyczerpał i życie przestało by istnieć. Człowiek może zobaczyć siebie pnącego się z wielkim uporem w górę, poszukującego nowych wymiarów duchowych.

Każdy może zaobserwować, na różnych płaszczyznach określony rozwój przez ewolucję.

W naturze proces ewolucji jest wyrażany szczególnie wtedy, kiedy widoczny jest wzrost bogactwa w różnych formach. Ryba w oceanie składa wielką ilość ikry. Gdyby ze wszystkich jaj powstało nowe życie podniósłby się stan wód i tereny nisko położone zostały by zalane.

Gwiazdy na niebie są poza możliwością policzenia ich przez człowieka.

Niekończone ziarna piasku, traw, bogata ziemia - wszystko tętni życiem.

Gałęzie i liście na drzewie ciągle się mnożą. Korzenie zaś przenikają coraz głębiej w niewyczerpaną ziemię.

Natura jest bardzo hojna, a my jesteśmy jej częścią.

Nie żyjemy w stanie prymitywnym, jesteśmy obdarzeni możliwościami i władzą wyboru. Ciągle rozwijamy się, idziemy do przodu.

Przez zatwardziałą wiarę w negatywne doznania uniemożliwiamy i opóźniamy należny nam z racji przyrodzonego dziedzictwa strumień dobra.

Często tęsknimy za prawdą, ale zdarza się, że jej nie rozpoznajemy, zwłaszcza, gdy pojawia się w nowym, nieoczekiwanym kształcie.

Czy nie jest dziwne, że gdy mamy złe doświadczenia, nasza uwaga koncentruje się zbyt silnie na tym czego nie udaje się nam zrealizować, zamiast na tym co i jak należy zmienić. Twoje nieszczęście, choroba, głęboki żal lub bieda jest faktem. Fakty są zawsze przedmiotem zmiany. Dlatego nie zatrzymuj się na negatywnych stronach rzeczywistości.

Wiele razy przydarzyło mi się, że kiedy zawiadamiałem znajomych o moich seminariach, znajdowali często wykrętne odpowiedzi, aby nie skorzystać z okazji. Tłumaczyli się, że nie mają czasu, że wiele spraw nie pozwala im uczestniczyć w prowadzonych przeze mnie zajęciach.

Wiedziałem, że te spotkania mogły być im pomocne. Ich myślenie z góry było nastawione negatywnie. Ponieważ doświadczali w życiu wielu niedostatków, przyzwyczaili się przyjmować swoje niepowodzenia, jako stan permanentny. Wierzyli, że Dary Boże przeznaczone są dla każdego, tylko nie dla nich.

Cząsto bardzo cierpieli i byli niezadowoleni ze swego obecnego losu, ale nie byli gotowi do zrobienia żadnego wysiłku, aby ten stan zmienić.

33. MIŁOŚĆ I DOBRO, TO PRAWDZIWA TWÓRCZA SIŁA

Jesteśmy tak bardzo zapędzeni i pochłonięci codziennymi problemami, że nie zauważamy spływających na nas błogosławieństw, największego daru Boga, objawiającego się w miłości.

Miłość jest twórcza, uzdrowicielska, odświeżająca i odradzająca się.

Prof. Piotr Sorokin, założyciel Centrum Twórczego Altruizmu przy Harvard University, powiedział kiedyś: "Któregoś dnia, może wkrótce, ludzkość dowie się czegoś, co niektórzy ludzie wiedzą od dawna: że miłość jest jedyną prawdziwą twórczą siłą na świecie".

Żyjemy w trudnym okresie, w erze nienawiści, rozbojów, rabunków, a jednak wiele jest ludzkich działań, które motywuje miłość.

Ujawnia się szczególnie w przypadkach ciężkich kryzysów. Okazywana wtedy miłość ludzi daje nadzieję na lepsze jutro.

Miłość zawsze pobudza w ludziach instynkty. Uwalnia człowieka z obciążeń dawnego, zakorzenionego od pokoleń myślenia i lęku. Pozwala mu dostrzec wszelkie otaczające go dobro, które jest do jego dyspozycji, pozostawiając mu przy tym wolność wyboru, którą może wykorzystać do stworzenia nowego modelu wartości.

Stawiając sobie cele, stara się je tak realizować, aby nie popełniać błędów.

Goethe powiedział: "Strzesz się tego, czego sobie życzysz, gdy jesteś bardzo młody, gdyż będziesz mieć zbyt wiele z tego, jak będziesz stary".

Jakaż mądra myśl zawarta jest w tym stwierdzeniu. Potwierdza ona to o czym mówimy. Mądre decyzje i pragnienia podjęte we wczesnym życiu będą miały odbicie w późniejszych latach.

Cokolwiek jest Twoim celem, jeżeli uzyska akceptację Twojej twórczej inteligencji musi wkrótce stać się Twoim doświadczeniem. Nic nie może Cię tego pozbawić.

Dopóki w pełni nie zdajemy sobie sprawy, że wszystko w naturze zazębia się, będziemy spoglądać na tych, których spotykamy, jako na osoby nie mające z nami nic wspólnego.

Naturalną tendencją przyrody jest integracja wszystkich elementów.

Jeżeli próbujemy burzyć ten porządek, rodzą się różnorodne problemy.

Zastanów się co byś zrobił, gdybyś był sam, bez przyjaciół, znajomych. Twoje życie byłoby bardzo ubogie. Czułbyś się osamotniony. Ludzie są sobie wzajemnie potrzebni do świadczenia usług, bez których nie mogliby funkcjonować.

Jak odwzajemniasz się za to , co otrzymujesz od innych? Masz władzę w sobie. Jest to wielki dar. Planuj, organizuj i skupiaj wokół siebie dobro i dziel się nim z innymi. Dbaj nie tylko o dobra zewnętrzne. One są ważne dla Ciebie, ale nie pozwalaj, aby Twoje wewnętrzne , duchowe dobro umierało z głodu.

Fascynujące jest stopniowe poznawanie wszechświata, wszystko porusza się w rytmicznych cyklach: nasze życie, nasza umysłowa, emocjonalna i duchowa natura, Słońce, Księżyc, rośliny, przypływ i odpływ morza, itd.

I tak jest z Tobą. Otwierasz się, dajesz swą miłość innym. Dzielisz się doświadczeniami, wiedzą.

To wszystko wraca do Ciebie pomnożone.

Nie wolno budować w życiu tam, blokad, bo one zatrzymują strumień życia. Spójrz: jeśli zbudujesz tamę na rzece, przepływ zostanie zatrzymany. Usuniesz przeszkodę, rzeka znów ruszy naprzód, oczyszczając się z nieczystości powstałych w czasie stagnacji. Woda stanie się naturalną, czystą, krystaliczną.

Tak jest i w naszym życiu.

Najgroźniejszą tamą dla naszych poczynań jest strach. Dlatego musisz się nauczyć pokonywać go. Twoją powinnością jest dawanie miłości i radości w sposób wolny. Możesz obdarowywać innych swoją niepowtarzalnością, wyjątkowością, którą posiadasz.

Zechciej tylko otworzyć z odwagą swoje serce i duszę.

34. ZASADY POWODZENIA

Kiedy realizujemy transcendentalną prawdę, że wszechświat jest kompletny, że dla każdego jest w nim miejsce i że całe bogactwo jest mądrze zaplanowane i w doskonałym porządku, wówczas zaczniemy się rozwijać.

Powodzenie w świecie nie jest ustaloną wielkością. Są to zasady i prawa według których stale na nowo się ono odradza. Ta odnowa nie jest skrępowana. Zasada nie może być zmniejszona. Jeżeli posługujesz się nieustannie podstawową zasadą nie zmniejszysz siły oddziaływania. Zaczynasz myśleć logicznie. Czy sądzisz, że jeśli często mówisz, że dwa razy dwa równa się cztery, to przestanie być to kiedyś prawdziwe?

Nieskończone powodzenie we wszechświecie jest zasadą. I na tej przesłance opieramy stwierdzenie, że powodzenie nigdy nie może być wyczerpane. Tę zasadę możesz stosować w każdej chwili swego życia.

Zasada dostatku i powodzenia we wszechświecie ciągle się powiększa, pomomo, że niektórzy zaprzeczają temu faktowi.

Jedni naukowcy mówią: "Świat staje się przeludniony. Nie wystarczy dla wszystkich pożywienia; "Wszystkie żywotne elementy zostały z ziemi zabrane i nie będą zwrócone. Ziemia przymiera głodem".

Inni zaś stwierdzają: "Bogactwo żywotnych elementów w morzu jest niewyobrażalne i my zaledwie ich dotykamy". Nowe życie przychodzi w każdym mijającym momencie. Wiemy, że jest to naturalne prawo. Bywa, że próbujemy się oderwać od natury. Dlaczego?

Nie jesteśmy jednostkami niezależnymi. Jesteśmy przecież cząstką Wspaniałego Wszechświata.

Pamiętasz z lekcji chemii i biologii stwierdzenie, że w przyrodzie nic nie ginie. Materia tylko w sposób naturalny zmienia swoją formę.

Pierwszą ważną zasadą jest nauczenie się dawania. To dawanie bywa sprawą dla wielu bolesną. Jeśli w umyśle człowieka wytworzył się przekonanie, że dając pozbawia się czegoś, to może wystąpić reakcja ociągania, zwlekania. Łatwiej jest za pomocą logiki przekonać swój intelekt, niż zmienić swoje emocje i nastawienia. Zmiana nastawienia wymaga dużej wewnętrznej dyscypliny. Ale możesz pokonać swe stare nawyki i nauczyć się dawania, osiągniesz wówczas powodzenie i prawdziwą dojrzałość.

35. CZY UMIEJĘTNIE WYKORZYSTUJEMY SWOJE MOŻLIWOŚCI

Czy próbowałeś zastanowić się nad własnym życiem, jak ono wygląda? Czy przebiega według ustalonych schematów, przyzwyczajeń, nawyków? A może jest pełne ekspresji, dynamiki i ciągłych nowości?

Jeśli zauważyłeś, że żyjesz ograniczoną rutyną, natychmiast przystąp do zmiany swego stylu i sposobu życia. Musisz stać się otwarty, mieć chłonny stosunek do tego, co robisz i co czujesz. Powinieneś być elastyczny.

Każdy musi mieć otwarty umysł i posiadać naturalną odporność na rutynę i pewne schematy, które nas próbują tłumić. Powinniśmy się samorealizować i samoodradzać, szukać ciągle nowych możliwości.

Osobiście byłem świadkiem wzruszającego odkrycia, gdy matka mojego kolegi, siedemdziesięcioletnia już osoba, zaczęła malować na płótnie farbami olejnymi. W jej obrazach pojawiły się pragnienia, odczucia, niezrealizowane dążenia i marzenia. W tak późnym wieku odkryła swe zdolności artystyczne. Obrazy znalazły uznanie i licznych nabywców. Kiedyś w rozmowie stwierdziła, że przeżyła tak wiele czasu i swoją energię zużywała na rzeczy nie przynoszące jej satysfakcji. Dopiero teraz odkryła w sobie powołanie i uzdolnienia.

Czy wśród swoich znajomych nie masz takich osób, które pracują nienawidząc swego zawodu? Nie rezygnują z pracy ponieważ oznacza ona dla nich bezpieczeństwo. Po co bezproduktywnie marnować swój cenny czas? Czy nie lepiej dokonać zmiany pracy na taką, która będzie pasjonowała, pobudzała do twórczego działania, dawała zadowolenie?

Jeżeli nie odpowiemy na potencjał twórczy, który tkwi w nas, na pewno nie znajdziemy nigdy naszych prawdziwych talentów czy możliwości. Kieruj zatem swoim życiem tak, aby układało się jak najlepiej, niemal idealnie.

W naszych społecznościach istnieje wiele potężnych sił stale skoncentrowanych na nas. Działają poprzez telewizję, radio, gazety, magazyny, sprzedawców, pracodawców, krewnych, znajomych. Mają wiele pomysłów i recept, jak powinniśmy żyć, postępować, myśleć. Nie wolno dopuścić do bezkrytycznego przyjmowania idei podsuwanych nam z zewnątrz. Twoje własne pomysły i rozwiązania mają największą wartość.

Nie ma granic dla naszych możliwości. Możesz osiągnąć wszystko. Niech Twoje samopoczucie będzie wspaniałe każdego dnia. Rozszerzaj gotowość do przyjmowania wyższej jakości doświadczeń, aniżeli te, jaki miałeś dnia poprzedniego.

Odkrywaj w sobie to, co masz najcenniejszego. Pielęgnuj swoje predyspozycje i uzdolnienia. Wykorzystuj je dla siebie i dla innych. Nie zwlekaj.

Dzisiaj jest ten cudowny dzień, w którym podejmiesz nowe działania, ukażesz swoje możliwości.

Teraz nadszedł odpowiedni czas na to. Rozszerzaj swoje myślowe horyzonty. Przyjmij nowe spojrzenie na sprawy, które Ciebie dotyczą. Dzisiaj jest dniem Twojej wewnętrznej radości, wolności, dniem natchnienia, potencjalnych możliwości, a równocześnie gotowości do odbierania tego, co dobre.

III. SIŁA, KTÓRA JEST W NAS, MOŻE ODMIENIĆ NASZ LOS

36. BĄDŹMY PRAKTYCZNI

Istnieje siła, a także technika służąca do jej wykorzystania, która może zmienić Twoje życie. Wrodzona siła zdolna jest rozwiązać każdy Twój problem. Możesz odnaleźć siłę w sobie i przez jej zastosowanie dokonać wielu rzeczy, które dotąd przerastały Twoje możliwości.

Każdą z reguł, którą będziemy omawiać wyraża prawo natury. Istnieje wiele praw rządzących tą siłą. Ważne jest, abyśmy zrozumieli te zasady.

Prawo życia jest prawem przyczyny i skutków w szerokim zrozumieniu. Nadszedł czas, abyśmy pozbyli się starych pojęć, których się kurczowo trzymamy. Trzeba się uwolnić od ich wpływu, aby żyć w świetności dnia dzisiejszego, odrzucając wiele z naszych starych uprzedzeń, przesądów i obaw.

Jeżeli szczerze i z całą mocą wiesz, co chcesz naprawdę posiadać i wierzysz w osiągnięcie tego, to na pewno znajdziesz także sposób na zdobycie wszystkiego czego zapragniesz. Pieniądze zdobędziesz także, gdyż są one konieczne do życia.

37. PIENIĄDZE JAKO WARTOŚĆ

Pieniądz umożliwia nieskrępowany obieg wielu rzeczy, które same są bardziej wartościowe od niego. Pieniądz jest konieczny w naszym obecnym życiu i bez niego trudno dziś wyobrazić sobie egzystencję. Brak pieniądza skazuje człowieka na wiele cierpień i na nędzę, niepokój, nieszczęście i zmartwienia, a nawet poniżenie.

Prawem naturalnym jest stały ruch, żywotność, stałe krążenie.

Kiedy, na przykład, zatrzyma się krążenie krwi w organiźmie nie może trwać życie, człowiek umiera. Dzięki cyrkulacji krwi człowiek zachowuje i nabiera nowych sił. Tak samo jest z pieniądzem.

Pieniądz jest koniecznością życiową i nie musimy się tego wstydzić, że doceniamy rolę, jaką on pełni w naszej egzystencji.

Ponieważ w rzeczywistości musimy myśleć o pieniądzach, nauczmy się myśleć o nich we właściwy sposób.

Starożytni teologowie utrzymywali, że pieniądz jest niebezpieczną rzeczą, nawet grzeszną. My w to nie wierzymy. Uznajemy że jest ważnym elementem w systemie wartości epoki, w której żyjemy.

Pieniądz jest konieczny dla prawidłowego funkcjonowania naszej ekonomiki. Z chwilą, kiedy pozbędziemy się zacofanego poglądu na pieniądz i nie będziemy traktować go jako zło, ale docenimy jego rolę i uświadomimy sobie, jak dobrze jest posiadać odpowiednie środki finansowe, wowczas zaczniemy odczuwać większą cyrkulację tych środków w naszym codziennym życiu. Mamy tu do czynienia z pewną zasadą, prawem, a nie czymś wydumanym i nierealnym. Prawo pieniądza jest tak jasne jak prawo ciążenia, prawo elektryczności, czy jakiekolwiek inne. Jest ono dokładnie określone i możemy nauczyć się stosowć je w życiu.

38. PRAWO DOBROBYTU I SZCZĘŚCIA

Ubóstwo jest przekonaniem, stanem umysłu. Kahlil Gibran określił skąpca ukrywającego zasoby następująco: "Czymże jest strach przed biedą, jeśli nie samą biedą. Czy ukrywający bogactwo nie żyje tak, jakby już był biednym?" Braki i ograniczenia są przede wszystkim pojęciami, które rozwijają się i wyrażają nasz stosunek do nich w naszym życiu. W tym leży istota rzeczy, że osoba, która wierzy w szczęście we wszystkich przejawach swojego życia, która myśli kategoriami sukcesu, powodzenia, radości i miłości, faktycznie tworzy je przez to samo prawo, które stanowi, że wszystko rozmnaża się zgodnie ze swym gatunkiem.

Prawo to działa jednakowo dla każdego, a nie tylko dla wybranych. Nie zmienia się ono w połowie drogi, tak jak gleba nie może z nasion kukurydzy urodzić żyta.

Jeśli nasze myśli zostaną zdominowane przez strach, braki, nienawiść, ograniczenia i choroby staną się one rzeczywistością, gdyż zostały tak zaprogramowane.

39. PRAWO DAWANIA

Pierwszym prawem otrzymywania jest dawanie. Musisz najpierw zasiać ziarno, a później dopiero możesz zbierać plony. Jeżeli pragniesz być kochany, przede wszystkim musisz mieć miłość w sobie i obdarzać nią innych, wtedy i Ty będziesz kochany. Jeżeli pragniesz, aby spokój wstąpił w Twoje życie, które obecnie jest niczym innym jak chaosem, musisz zacząć w swojej świadomości wyrażać spokój, tworzyć go, aż zacznie Cię on ogarniać. Jeżeli pragniesz osiągnąć pomyślność finansową, w swoim życiu, uzyskasz ją na pewno poprzez dawanie, przez kultywowanie idei nasienia. Na tym polega zasada ofiary dziesięciny.

Gleba jest urodzajna, umysł przyjmuje nasiona, przystępuje do procesu twórczego i doprowadza do owocowania. Dokonuje się to bez żadnych wysiłków z naszej strony, wystarczy rzucić ziarno zgodnie z prawem daru.

40. TECHNIKA ZDOBYWANIA PIENIĘDZY

Efekty, jakie osiągamy w naszym życiu, dokładnie odzwierciedlają nasze przekonania o samych sobie. Czy jesteś biednym, wykorzystywanym małym stworzeniem, czy też znakomitym, wolnym dzieckiem Bożym, sam sobie odpowiesz na te pytania. Jeżeli stwierdzisz, że jesteś wykorzystywany, oznacza to, że pozwalasz na to, przez ignorancję własnego potencjału.

Życie daje nam wartości w zależności od tego, jacy jesteśmy, na co się dobrowolnie godzimy, czemu nie chcemy zaprzeczyć, według naszego mniemania o samych sobie. Jeżeli jesteśmy zbyt skromni, lękliwi, nieśmiali trudno nam będzie zdobyć sukces w życiu.

We wstępie do wspaniałej książki "Psycho - cybernetics" Dr Maxwell Maltz pisze: "Pozytywne myślenie rzeczywiście przynosi rezultaty, kiedy jest w zgodzie z indywidualnym pojęciem o sobie. Dosłownie nie może ono działać, do czasu nim nie zmienimy naszego mniemania o nas samych".

Innymi słowy, musimy myśleć o sobie pozytywnie z przekonaniem, że jesteśmy w pełni zdolni do tego, żeby w każdym naszym przedsięwzięciu uzyskiwać dobre wyniki.

Każdy z nas odnosi sukcesy. Powiecie, że to przesada, że nieprawda. Znam Kowalskiego, mieszka w następnym domu, ma wiele kłopotów i cokolwiek zacznie, nic mu się nie udaje. Nik nie może go nazwać szczęśliwym, ale Kowalski ma wielkie osiągnięcia w demonstrowaniu tego, w co wierzy. A ponieważ wierzy on głęboko w swoje niepowodzenia, osiąga niepowodzenia. Gdyby wierzył w sukces, osiągałby sukces. Jego życie jest obrazem jego wyobrażenia o sobie samym.

Możemy twierdzić z całą pewnością: Jak człowiek myśli o sobie, tak żyje. Chciałbym jaszcze raz podkreślić tę żywotną prawdę. Człowiek nie jest taki, jakim jest z powodu warunków zewnętrznych, ale warunki zewnętrzne stają się takie, jakie człowiek sam powoduje, dostosowując je do siebie.

Jeżeli wierzysz, że braki i ograniczenia to Twój osobisty los, z pewnością będą one Twoim udziałem i będziesz ich doświadczał. Jeżeli identyfikujesz się z chorobami, nędzą, myślami negatywnymi o sobie, wszystko to otrzymasz. Dajesz im bowiem bezpieczne schronisko. Jakże ostrożny byłbyś ze swoimi wszystkimi myślami negatywnymi o sobie, gdybyś wiedział, że zostaną one powszechnie znane i dostrzegane przez wszystkich. I tu mam dla Ciebie ważną nowinę. Posłuchaj uważnie. Dla Twojego otoczenia są one łatwo widoczne.

Wiedz, że czegokolwiek doświadczyłeś w życiu, było bezpośrednim rezultatem tego, w co uwierzyłeś. Nasze wewnętrzne przekonania stają się naszymi zewnętrznymi doświadczeniami. Nie można tego wyrazić prościej. Najpierw jest siew, a potem żniwa, niezależnie od tego, czy dotyczy to Twego ogrodu, małżeństwa czy pracy zawodowej.

Musimy przygotować grunt pod siew, przez wiarę, przekonanie, właściwą postawę, stanowisko. Cokolwiek jest potrzebne jako nasienie dla naszego twórczego umysłu, musi wyrażać nasze pragnienie, aby urzeczywistniło się zgodnie z prawem.

41. PRAWO WYNAGRODZENIA

Jeżeli pragniesz doznać uznania w Twojej pracy i otrzymać lepszą zapłatę niż obecnie, musisz zacząć robić więcej niż to, za co Ci płacą.

Czy to jest dla Ciebie jasne?

Wielu ludzi ma dziwne pojęcie o życiu. Myślą, że dobro przychodzi ze szczęścia, pomyślnego zbiegu okoliczności lub może z przypadku. To są złudzenia. Nie można niczego zwalać na los, predyspozycje albo przeznaczenie. To my tworzymy nasze własne życie.

Cokolwiek nowego człowiek dokona, pociąga za sobą zwiększenie nowych i udoskonaleń. Niestety, wielu ludzi poddaje swe możliwości twórcze wątpliwościom i negatywnym przekonaniom.

Niczego nie dostrzegają oprócz harówki bez wytchnienia i bezwolnego rutynowego brnięcia przez beznadziejność powszedniego dnia, aby tylko wiązać koniec z końcem. Ponieważ ich podejście jest niezmienne, ich niskie wynagrodzenie pozostaje takie samo.

Kompletnym przeciwieństwem jest człowiek z szerokimi horyzontami myślowymi, z pogłębionym zrozumieniem swych możliwości i rozszerzoną świadomością. Oczekuje on dobra bez przerwy. Jest w pogoni za nim i nie ogranicza swoich działań. Daje sobie szanse osiągnięcia sukcesu. Nie ogranicza swoich możliwości do jednej osoby, jednego pracodawcy, jednej pracy czy nawet miejsca zamieszkania. Swoje doświadczenia pogłębia. Widzi w sobie twórcze nieograniczone moce.

42. PANOWANIE NAD WŁASNYM LOSEM

Jedyna droga do panowania nad naszym losem to kontrola naszych myśli i przekonań. Naszym głównym celem jest to, aby umysł był twórczy i działał zgodnie z naszą wolą. Świadomy umysł planuje działania, a twórczy, subiektywny umysł realizuje je. Nie musisz się martwić, czy Ci się powiedzie, czy nie, ponieważ to prawo nigdy nie zawodzi. Z całą pewnością spełni się to, w co uwierzyłeś. Najważniejsza jest myśl, zasiane ziarno do działania i twórczego czynu.

Skoncentruj swoje myśli na dobru i na tych rzeczach, które przynoszą sławę i chwałę. Modlitwa wzmacnia człowieka i pomaga w drodze do osiągnięcia sukcesów.

W którą stronę kierujesz swoje myśli?

Jak wyobrażasz sobie codzienne życie?

Dokąd dążysz?

Trudno znaleźć ważniejsze pytania.

Samoświadomość jest ważna. Nie możemy dokonać postępu czy naprawiać rzeczywistość bez właściwej motywacji oraz koniecznych zmian w sposobie naszego myślenia. Arystoteles powiedział: "Życie niekontrolowane nie jest warte życia".

Jeżeli zastanowisz się nad swoim życiem, możesz być zaszokowany, ile znajdziesz zużytych zdewaluowanych wartości, rupieci, których powinieneś się już dawno pozbyć. Przykre doświadczenia naszych zmartwień, kłopotów, braków i chorób są bezpośrednimi wynikami sposobu myślenia. Niektóre nasze negatywne myśli są bardzo subtelne i mogą tkwić głęboko w podświadomości, wywierając swój wpływ na nas.

Jeśli jakieś negatywne doświadczenie powtarza się ciągle w Twoim życiu, bez zewnętrznych przyczyn, oznacza to, że powinieneś zrobić "rachunek sumienia".

Odkrycie chwastów w Twoim duchowym ogrodzie, które są przyczyną wielu kłopotów, wyrwanie ich a wraz z nimi negatywnych ich odczuć jest konieczne. Kiedy rozpoznasz chwasty, będziesz wiedział co było przyczyną Twoich kłopotów.

Obserwując zależność między destruktywnym stanem umysłu, a fizycznymi niedomaganiami zauważymy, że złość, zawiedzione nadzieje stają się przyczyną tego, że organizm staje się podatny na przeziębienia, obstrukcje, katary i bóle głowy.

Jako przykład pragnę przytoczyć ciekawe odkrycie pewnej znajomej. Przez dość długi okres pracowała ona nad sobą osiągając świetne wyniki. Wygłaszała pogadanki cieszące się dużym powodzeniem. Zwracała uwagę na dietę, utrzymywała szczupłą figurę, używała świetnych kosmetyków i nie miała większych kłopotów ze zdrowiem. Zdarzało się, że czasami musiała odwoływać swoje wykłady z powodu przeziębień. Nie było na rynku lekarstwa, którego nie miałaby w swojej apteczce. Aspiryna, corosidyna, krople do nosa, syrop na kaszel, antybiotyki, płyn do płukania gardła, kartony chusteczek i lekarstw przepisywanych pzez lekarzy. Dziwiła się, dlaczego ciągle się przeziębia. Przecież to nie było zgodne z jej osobowością. Wniosek dla mnie był oczywisty. Ona oczekiwała przeziębienia i stale była na nie przygotowana. Ponieważ doznawała ciężkich przeziębień od dzieciństwa zasugerowałem jej, aby cofnęła się myślą wstecz i zastanowiła się nad tym, czy z dawna nie żywi jakiejś głębokiej urazy do kogoś. Odpowiedź odnalazła natychmiast. Okazało się, że miała siostrę, której nienawidziła z całej duszy. Pamiętała, że siostra pożyczła od niej sukienki i niszczyła je. Dobierała się do jej perfum i innych rzeczy. Odbijała jej każdego chłopca jakiego przyprowadziła do domu. Czasami wydawało jej się, że koncectruje się na tym aby zatruć całą jej młodość. Po tylu latach, kiedy pomyśli o siostrze doznaje uczucia nienawiści.

Według autorytetów medycznych, chowanie urazów ma przykre następstwa. Konieczne więc było oczyścić się z uczucia nienawiści, wyrzucić je ze świadomości i całkowicie przebaczyć siostrze. Zabrało to trochę czasu, aby młoda kobieta wyzbyła się nienawiści, a tym samym głębokiego urazu, który znajdował ujście w przeziębieniach.

Wyzbycie się złych nawyków myślowych nie jest rzeczą łatwą, ale trzba tego koniecznie dokonać. Pozwolenie sobie choćby na jeden dzień negatywny (o bojaźliwej, czy niespokojnej postawie) z obawą, że coś się przydarzy, może stać się początkiem nawyku złego myślenia. Dlatego konieczne jest pilne trzymanie się na baczności, a by nie dopuszczać myśli niezgodnych z naszą wolą. Kiedy "przyłapiemy się" na niewskazanym ukierunkowaniu naszych myśli, zadajmy sobie pytanie: czy chciałbym zachować w moim doświadczeniu taką postawę? Jeżeli nie, lepiej ją wyeliminować, lub właściwie ukierunkować. Takie postępowanie wymaga ciągłej czyjności.

Nie zawsze w pełni zdajemy sobie sprawę z ogromnej wagi naszych myśli. Niektórzy tak rozwinęli w sobie nawyk myślenia, że nastawione ono jest z góry na porażki. Nawet w przypadku osiągnięcia sukcesu, w wyniku właściwego działania, traktują je jako wyjątkowe wydarzenie. Uważają, że to nie może się powtórzyć.

Życie wymaga ruchu i stałej twórczej aktywności.

43. PRAWO POMNAŻANIA

Życie jest szczodre i nieograniczone w swej atrakcyjności i pomysłowości. Istnieje ogromna różnorodność ludzkich osobowości, dzięki czemu możemy wzajemnie zaspakajać swe potrzeby. Każdy z nas czuje potrzebę kogoś bliskiego i wie, że jest potrzebny innemu człowiekowi. Nie moglibyśmy żyć bez siebie wzajemnie. Nie tylko pragniemy ciepła, bliskości, miłości, lecz także zaufania, szacunku, zrozumienia i pełnej akceptacji.

Prawdziwa pomyślność powinna stale rozwijać się i wyrażać wszystkie zdolności. Natura wszystko ciągle pomnaża. Obserwując na każdym kroku obfitość wszelkich dóbr dochodzimy do przekonania, że nie możemy jednak zaspokić wszystkich swoich potrzb.

Dobrobyt jest wszędzie, ale nie dla mnie. Jeżeli tak rozumujesz, najwyższy już czas, abyś gruntownie zmienił swoje myślenie. Jak tego dokonać? Głębsze spojrzenie na naturę jej prawa wykaże, że dóbr dostarcza nam ona tyle, aby starczyło dla wszystkich ludzi. Ekonomiści często zniekształcają ten obraz, ale jest to ludzki punkt widzenia, nie uwzględniający Boskich praw. Istnieją nieskończone zasoby przekraczające ludzką wyobraźnię. Nigdy nie będziemy w stanie wyobrazić sobie mnogości otaczających nas dóbr. Trzeba wiedzieć, że dobra ominą nas jednak, jeżeli zamkniemy nasze serca i umysłu dla prawdy, jeżeli zwątpimy, jeżeli całą siłę naszych wyobrażeń skoncentrujemy na brakach i ograniaczeniach, a nie na darach obfitości, które ma Natura.

Podam przykład: Chcesz zbudować dom. Będzie on kosztował 75 tysięcy dolarów. Zapłaciłeś za działkę piętnaście tysięcy dolarów. Kiedy dom stanął, uregulowałeś wszystkie rachunki okazało się, że wartość tego domu sięga 90 tysięcy dolarów a może i więcej, ponieważ cena działki poszła w górę. Tak wzrasta bogactwo naturalne, rozszerza się i mnoży.

Aby robić pieniądze, trzeba mieć pieniądze - powie wielu ludzi.

Nonsens. Zawsze istnieje punkt startu. Jak z większością rzeczy, musisz zacząć z tej pozycji, w której się znajdujesz. Na ogół zdarza się, że jeżeli ktoś odziedziczył fortunę, na którą nie pracował, to albo roztrwoni majątek, nie inwestując w żadną produkcję albo z powodu braku zaufania we własne zdolności zarabinia pieniędzy. W obu przypadkach są to nieszcząśliwe rozwiązania dla spadkobierców, nie są twórcze nie przynoszą pomyślności.

44. BEZGRANICZNY POTENCJAŁ

Każdą nową działalność możesz podejmować z pełnym przekonaniem i zaufaniem oraz z wiarą w sukces, gdyż otrzymujesz niczym nie ograniczony potencjał, do każdej działalności. Wiesz, że samo życie odpowie ci na Twoją postawę, zgodnie z tym, co reprezentujesz, kim jesteś. Stratą czasu jest rozstrząsanie takich myśli: O gdybym miał pieniądze, to rozwiązałoby wszystkie moje problemy.

To są tylko pobożne życzenia i do tego negatywne. Tego rodzaju myślenie uniemożliwia wyjście z trudnej sytuacji, którą chciałbyś zmienić, ponieważ utwierdza Twą pozycję człowieka biednego. Kierujesz cała siłę myśli na Twoją niezdolność do posiadania bogactwa.

45. MOC DZIĘKCZYNNEJ MODLITWY

Moc dziękczynnej modlitwy polega na koncentracji całej uwagi na rozwiązaniu, a nie na stawianiu problemu. Staraj się w ogóle o tym nie myśleć. Podziękuj za urzeczywistnienie się rozwiązania Twego problemu, który sam sobie proponujesz i przystępuj do realizacji swoich zamierzeń.

Przed każdym z nas piętrzą się problemy większe lub mniejsze, powstają trudności. Musimy precyzować cele i sposoby, jakimi je będziemy rozwiązywać.

Błędem jest odkładanie decyzji na później.

Przesuwając realizację planów na przyszłość uniemożliwiamy lub hamujemy własne działania.

Prawo nie może niczego powołać do istnienia, dopóki nie przyjmiemy zmian w naszej świadomości. Prawo pracuje tylko w czasie teraźniejszym. Zrozumienie tego jest bardzo ważne. Właśnie teraz jest czas na przewartościowanie, na zmianę własnego spojrzenia i nastawienia.

Teraz doznajesz skutków myślenia. Zewnętrzne doznania mogą mieć wpływ na Ciebie o tyle, o ile sobie na to pozwolisz. Nic się nie urzeczywistni w naszym życiu, jeżeli nie będziemy gotowi do przyjęcia tego.

Zastanów się nad treścią zdań cytowanych poniżej, może one pozwolą Ci inaczej spojrzeć na doznania życiowe.

"Wszyscy gromadzimy się w ciemnościach. Błądząc uczymy się rozpoznawać, która droga jest zła. W tym jest nasze osiągnięcie. Nie zawsze wygrywamy wyścig. Musimy stąpać u podnóża góry, zanim zdobędziemy szczyt. Ale kto siebie kocha i zna ból, chociaż ma za sobą błędy przeszłości, z pewnością cel osiągnie. Nawet ci, którzy zasmakowali zła, później wybierają właściwą drogę. Tych lat, kiedy błądzimy, a które prowadzą nas do światła, nie powinniśmy uważać za zmarnowane."

Ella Wheeler Wilcox

O mocy dziękczynnej modlitwy, miałem okazję przekonać się, podczas moich pobytów wakacyjnych u babci Michalinki, kiedy byłem jeszcze dzieckiem.

Moja kochana, zawsze pogodna i uśmiechnięta Babcia rzadko prosiła Pana Boga o łaski, o jakąkolwiek rzecz. Ona przy każdej okazji dziękowała. Dziękczynne modły, zanosiła za wszystko, czego doznawała i doświadczała.

Stała się i jest nadal dla mnie symbolem idealnej Babci. Ona to zawsze dobrym słowem, sercem i miłością obdarzała domowników, sąsiadów, znajomych. Szczególną dobroć i troskę okazywała wnuczętom. Koiła ból i łzy. Zaskarbiła sobie miłość krewnych i bliskich jej osób.

Nosiła długą zapinaną na guziki suknię. Miały one dużą wartość, bowiem do każdego z nich był przypisany wnuczek czy wnuczka w okresie podrastania.

Babcia miała bardzo prostą filozofię życiową. Kochała ludzi i życie. Była wierząca i skrupulatnie rozliczała się z Panem Bogiem. Dziesiątą część swych skromnych dochodów przekazała na potrzeby parafii i dla biednych.

Za życia, chętnie dzieliła się z ludźmi potrzebującymi pomocy tym, co miała. Nigdy nie zaznała niedostatku. Przy każdej okazji siała dobro i zbierała wspaniałe plony.

46. NAJWAŻNIEJSZY KROK

Zawsze wybierasz to, o czym myślisz, nawet wówczas, kiedy Twój umysł zatrzymuje się lub kiedy pozwolisz myślom biec samowolnie, jakby to był samochód bez kierowcy. Ale Twój wybor decyduje, jaki kierunek nadasz swemu postępowaniu.

Aby dokonać właściwego i konstruktywnego wyboru, musisz posiadać godny cel i jasną świadomość motywów. Dlatego znów wróć do "rachunku sumienia". Poświęć trochę czasu na zapisanie przemyślanych odpowiedzi, w przeznaczonych na to miejscach, ponieważ cokolwiek jest napisane, jest podwójnie przemyślane.

Jak widzę siebie teraz?.................................

Jaki jest mój potencjał?..............................

Jakie są moje cele?...

Jaki jest mój idealny obraz jako dziecka Bożego?.............

Przez szczerą odpowiedz na te pytania dokonasz właściwego wyboru i ożywisz siłę Bożą w sobie.

47. SZUKAJCIE A ZNAJDZIECIE

W co rzeczywiście naprawdę uwierzysz, staje się Twoje i realizuje się w Twoim życiu. Twoje dominujące myśli kierują działaniem zgodnie z doświadczeniem.

Musisz teraz uwierzyć, że pieniądze będą lgnęły do Ciebie. To jest po prostu prawo naturalnego obiegu, cyrkulacji życia.

Twoja nowo odkryta świadomość powodzenia będzie wytwarzać postawę, która rozszerza się we wszystkich kierunkach. Kiedy sądzisz, że jeden pracodawca jest jedynym Twoim źródłem dochodów, odcinasz się od wszystkich innych możliwości.

Jeżeli okazujesz miłość tylko jednej osobie, będziesz tracił miłość wielu przyjaciół. Jeżeli wierzysz, że Twój spokój zależy od działań innych, nie zaznasz spokoju. Musisz zmienić swój punkt widzenia. Kiedy będziesz myślał, że problemy Twego życia rozwiąże za Ciebie ktoś inny, choćby to był ktoś najserdeczniej oddany, zatracisz oparcie w sobie, a tym samym poczucie własnej wartości i wolności, zgubisz sens życia.

Pragnienie różnych dóbr, które chcesz posiąść, powinno zawierać pewien element rzeczywistości, aby mogły one autentycznie zaistnieć w Twoim życiu. Także ogólny poziom Twojego myślenia musi być równomierny z dobrami, jakich pragniesz. Takie myślenie przyniesie upragnione efekty, nie nabawisz się nowych stresów.

Życie ofiarowuje nam nieograniczone możliwości realizacji naszych pragnień, ale musimy żyć z Prawdą.

Kiedy pragniesz dobrobytu, nie mów, że masz dosyć biedy, ale bądź wobec siebie szczery i przyznaj się do tego, co Cię gnębi. To pomoże zmienić konstruktywnie aktualny stan.

Kiedy pragniesz posuwać się naprzód, nie włączaj biegu wstecznego. Nie pozwól poprzez wewnętrzne ograniczenia, które sam sobie stawiasz, zaciemniać obrazu własnych życiowych możliwości. Staraj się być zawsze otwarty i twórczy.

48. TECHNIKA ZDOBYWANIA LEPSZEJ POMYŚLNOŚCI W ŻYCIU

Spróbuj uwierzyć, że dobrobyt jest także dla Ciebie. Bądź pełen tej wiary. Myśl kategoriami dobrobytu, wyobrażaj sobie dobrobyt, działaj i odczuwaj powodzenie. Oglądaj pola dojrzewających zbóż i dziękuj, dziękuj za dar życia. Ta technika będzie działać jak magia w Twoim życiu. Pomyśl, czy to nie jest cudowne, że przez własny wybór i postawę możesz całkowicie kontrolować drogę swego życia?

W Twoich obudzonych myślach istnieje nieskończone, bezgraniczne dobro, które oczekuje, abyś je podjął. To największy dar, jaki Stwórca dał człowiekowi.

Takie myślenie może wydawać się bardzo trudne, wysublimowane i nieuchwytne. Człowiek często zapomina lub nie wie, że posiada ten dar. Kiedy warunki życia codziennego stają się niepokojące, dobrze jest uświadomić sobie tę możliwość. Istotne jest, abyśmy zdawali sobie z tego sprawę i wykorzystywali możliwości naszego umysłu do konstruktywnego działania i tworzenia wszystkiego, czego pragniemy. Bądź pewny, że potrafisz doskonale zrozumieć i zastosować w życiu prawa naturalne.

Studiuj uważnie technikę zdobywania pieniędzy, ze specjalną uwagą skierowaną na prawo uposażenia. Zauważaj skuteczny sposób postępowania w sytuacjach, kiedy Ci się powiodło i nadal stosuj te metody z całkowitym przeświadczeniem powodzenia, kiedy tylko zaistnieje taka potrzeba.

Sumienna samoocena będzie nieskończenie pomocna w rozwiązywaniu dalszych problemów. Wiedz, że prawo przyrostu pracuje konsekwentnie na Twoją korzyść. Nie zapominaj też o dziękczynnej modlitwie. Może się ona okazać najwartościowszymi wyrazami Twoich uczuć.

Czy pamiętasz historię ze Starego Testamentu o wdowie, której prorok przyrzekł dać tyle oleju, ile zmieści w przyniesionych naczeniach? Poszła ona pożyczyć od sąsiadów i przyszła z tyloma naczyniami, ile tylko mogła znaleźć w okolicy. Z powodu jej wiary w nieograniczoną mnogość oliwy, napełnione zostały wszystnie pojemniki, które przyniosła ze sobą.

Co Ty niesiesz do Oceanu Życia do napełnienia? Czy małą łyżeczkę, czy beczkę? To jest ważne pytanie. Niech Twoje życie będzie pomyślne, bogate, pełne dawania, błogosławieństwa, przybywania i wzrostu. Dzielenie się z innymi, dawanie ze szczerego serca w poczuciu jedności ze szczodrością Natury, obdarza Cię specjalnym pięknem i promiennością. Mieć dar dawania jest wspaniałą rzeczą.

Szerokie są możliwości dawania. Możesz ofiarować dar serca, dobroci, akceptacji, ukazywania piękna tego świata, aż do dzielenia się dobrami materialnymi. Często nie zdajemy sobie sprawy z tego, ile możemy dać bliźniemu. Pewien poeta powiedział "Tyle mnie szczęśliwego, ile do podziału". Bo wielkim szczęściem jest nie tyle brać, ile dawać innym! Pan Bóg jest taki szczodry dla Ciebie! Będąc Jego Dzieckiem chcesz czynić podobnie.

W ten sposób staniesz się bogaty w swojej świadomości i w całym doświadczeniu, bo przecież daje ten, kto ma.

Przez dawanie jesteś w harmonii z cudownym planem krążenia w Naturze. Jeśli dobrze zrozumiesz mechanizm prawa dawania, sam nigdy nie odczujesz braków. Dawanie przynosi radość, pewność i sokój. Nie myśl o tym, co w zamian otrzymasz, ale o tym, by wzbogacać się wewnętrznie, nieść nowe dary.

49. MÓJ NAJWIĘKSZY ATUT

Twoim największym atutem jest samo życie. Możesz wiele dokonać używając mocy Twego umysłu, aby ciągle doskonalić się i wznosić na coraz wyższy poziom rozumienia siebie, aż do osiągnięcia spokoju, harmonii, pogody i szczęścia.

Na ogół boimy się trudów zrozumienia tych problemów, które na pozór wydają się trudne lub nierealne. Wolimy wyliczać przeszkody, które uniemożliwiają sukces, niż skupić się na działaniu konstruktywnym. Zbyt wiele osób zwykle rozwodzi się nad rzeczami, które sprawiają im przykrość w życiu codziennym. Są to normalne problemy, których człowiek nie rozwiązał, które wydały się trudne tylko dla tego, że wzbraniał się, aby stawić im czoła. Stały się one rzeczywiście potężnymi siłami występującymi przeciw niemu, lecz tylko w jego własnym mniemaniu. Trzeba wydać im bezwzględną walkę.

Pamiętaj, wszystkie fakty podlegają zmianie. Wieczna jest tylko Prawda. Trudności są tylko rezultatem niewłaściwego, negatywnego zastosowania prawa umysłu.

Każdy z nas posiada w sobie olbrzymią siłę twórczą, a niewielu nauczyło się ujarzmiać tę siłę. Jedno jest pewne, że umysł kieruje i rządzi wszystkim, czego doświadczamy i co nas otacza. Dotyczy to wszystkich spraw jakie dzieją się na świecie.

50. PRAWO UNIWERSALNE

Świat jest jednością, a nie chaosem. Prawa rządzące światem zachowują jedność i nie są w konfikcie ze sobą, choć czasami wydaje nam się, że jest inaczej. Nasze poznanie i inteligencja są ograniczone. Czasami nie możemy ogarnąć wszystkiego, aby poznać bezgraniczny potencjał. Twórcze Działanie Opatrzności działa w naszym życiu zgodnie z prawem Natury. Cała Natura jest zharmonizowana z tym prawem. Musisz nauczyć się żyć w harmonii z Naturą.

Bez względu na trudności - słabe zdrowie, brak sukcesów lub pieniędzy, kłopoty, nieszczęśliwe związki - powinieneś zawsze odnajdywać sens życia. Nic nie dzieja się przypadkowo. Każdy skutek ma swoją przyczynę, akt twórczy i jego rezultat. Zawsze istnieje zasiew, plon - akcja i reakcja. Model rośliny znajduje się w ziarnie. Gleba jest zapłodniona ziarnem i odpowiada na zasiew produkując roślinę. Co swoimi myślami wprowadzasz do gleby twórczego umysłu, to zostanie wytworzone zgodnie z Twoimi doświadczeniami.

To jest jeden element tego prawa. Myślisz może, że to prawo dotyczy tylko rzeczy? Istnieją prawa elektryczności, przyciągania i grawitacji, lecz nie dotyczą one bezpośrednio Ciebie i Twojego życia. Może wierzysz w to, że prawo przyrody ma wpływ na pozycję planet i ich ustawienie w stosunku do Słońca, lecz nie zdajesz sobie sprawy, że układy planet mają wpływ na stan Twojego zdrowia. Uważasz to za czysty przypadek? Może wydaje Ci się, że istnieją we wszechświecie rzeczy, które mogą uniknąć podporządkowania się temu prawu?

To oczywiście byłoby wielkim nieporozumieniem, lecz nie zmieniłoby obiektywnej prawdy.

Prawo naturalne ma wpływ na wszystko, na to, czym jesteś, co robisz, czego doświadczasz. Nie można go pominąć czy przed nim uciec. Ważne więc jest, aby poznać je i stosować w życiu. Samo prawo jest bezosobowe. Nie jest zainteresowane tym, czy Ty je uznajesz, nie jest także zainteresowane, jak je stosujesz. Czy auto troszczy się o to, czy włączysz przedni, czy wsteczny bieg?

Czy elektryczność zdaje sobie sprawę z tego, że zabiła człowieka, czy też go uratowała?

Prawo Natury prowadzi Cię dokładnie, skrupulatnie do ostatniej "kropki nad i" z matematyczną sprawiedliwością.

Natura sprzyja człowiekowi, który jest jej cząstką i nie staje na drodze ludzkiej pomyślności. Tendencje te na pewno dostrzegasz wokół siebie.

Nie ma obiektywnych przeszkód, abyś był zdrowy. Nic nie przeszkadza, aby wzrastały Twoje finanse. Nic nie sprzeciwia się całkowitej harmonii Twojego życia. Możesz i musisz to zrozumieć i uwierzyć. Z pozytywnym nastawieniem do samego siebie weź swój los w swoje ręce!

51. WSZYSTKO JEST DLA CIEBIE

Nic w świecie nie jest przeciw Tobie. Wzorcem dla świata jest rozwój, ekspansja i powiększanie dóbr. Zasada, że każdy rodzaj rozmnaża swój gatunek, jest wielką lekcją, której musisz się nauczyć. Wielką lekcją, która uczyni Cię wolnym. Pamiętaj: życie jest dla Ciebie, a nie przeciw Tobie.

Nikt nie wydaje wyroku na człowieka skazując go na biedę, chorobę, niedostatek, nieszczęścia. Oczywiście uniwersum, które działa na zasadzie prawa, nie może wyrokować o tym, że ja mogę cieszyć się życiem, a Ty nie. Nie jest to także zgodne z wolą Stwórcy, który pragnie ofiarować dostatek jednemu, a odmówić drugiemu. Jednak przeciętnie rozumujący człowiek jest zazdrosny o czyjś sukces i powie: On z pewnością miał szansę. Trzeba zdać sobie sprawę, że twórcze prawo działa jednakowo dla wszystkich. Jest potencjalnym dobrem dla każdego, kto potrafi je właściwie stosować.

To nie jest nic tajemniczego, ani nadnaturalnego, ale dotyczy twórczego prawa do życia. Życie jest istotą samej natury. Do dziś przeciętny człowiek wierzy w zabobony, chce błagać, zjednywać, a czasami nawet grozić tajemniczym siłom, które według niego wpływają na jego los.

Jeśli jesteś przeświadczony, że życie Twoje jest niepełne, że nie wszystko jest Ci dane, wiedz, że ograniczenia te wynikają wyłącznie z Twojego stosunku do życia. Ograniczasz je sam z lęku, niepewności, braku wiary we własne możliwości. Jeśli pokonasz ograniczenia, które tkwią w Tobie, pełnia życia rozkwitnie. Trzeba sobie postawić pytanie: Ile sam sobie przyznajesz możliwych życiowych sukcesów? To jest bardzo ważne. Musisz mieć pełną świadomość swoich możliwości i dążyć do ich urzeczywistnienia.

Każde prawo musi być właściwie stosowane, aby przyniosło pozytywne wyniki.

W świecie fizycznym naukowcy muszą najpierw odkryć prawa natury, a następnie wdrażać je w życie. My na poziomie duchowym musimy nauczyć się robić to samo. Trzeba odkryć dla siebie rodzaj praw duchowych, które oparte są na doświadczeniach i żyć zgodnie z nimi, wzbogacając nieustannie swoją osobowość. Być może, że dotychczas stosowałeś prawo natury nieświadomie i wyniki Twoich działań nie przyniosły Ci zadowolenia. Mogłeś mieć przeświadczenie, że prowadzisz samotną walkę przeciw niepewnemu światu. Teraz życie Twoje stanie się bardziej świadome, a myśli będą zharmonizowane z Naturą i z prawem Bożym.

52. PRAWDA JEST JEDYNĄ DROGĄ DO WOLNOŚCI

Dzięki twórczej mocy umysłu możesz kierować swoim życiem i myślami. Kiedy jesteś w harmonii z Prawami Natury, kiedy swoim życiem wyrażasz dobro, jesteś człowiekiem wolnym. Kiedy wreszcie zrozumiesz, że nie wszystko sprzysięgło przeciw Tobie i zaczniesz być świadomy tego, że jedynie negatywne myślenie jest Twoim wrogiem, wtedy rozpoczniesz nowe życie polegające na rozumieniu istoty twórczych pozytywnych myśli i uczuć i zaczniesz współdziałać z prawem bytu.

Przez zmianę sposobu myślenia uczynisz swoje życie radosnym, urozmaiconym zaznasz w nim wiele dobrego. Ludzi i rzeczy będziesz spostrzegał inaczej, w bardziej promiennym świetle. Ludzie, z którymi się zetkniesz, widząc Twoją radość, będą także milsi dla Ciebie. W życiu będzie mniej brutalności i trudności. Problemy staną się o wiele łatwiejsze do rozwiązania.

Zrozumiesz, że życie i prawo są zawsze dla Ciebie łatwo dostępne. Bez względu na to, ile razy w przeszłości zbłądziłeś i cierpiałeś trudy i niepokoje, nigdy nie jest zapóźno zmienić życie i posługiwać się prawem prowadzącym Cię do wolności.

53. CZY TO NIE JEST CUDOWNE?

Dzięki stosowaniu prawa przyczyny i skutku wiesz, jak działać i kierować swymi myślami. Każda myśl jest początkiem czegoś nowego, co się rodzi w Tobie, jest twórczym pozytywnym myśleniem, które ujawni się w działaniu. Cudowną rzeczą jest to, że to nowe działanie może zmienić Twoje życie i mieć przewagę nad niepożądanymi zjawiskami.

Większość ludzi nie chce pracować nad sobą. Woleliby, aby coś nadnaturalnego zachodziło w ich życiu, bez żadnego wysiłku z ich strony. Myślą według następującej kategorii: Chciałbym całe moje życie zmienić, lecz nie chcę zmieniać siebie. Oczywiście jest to niemożliwe. I dobrze, że tak jest, gdyż bez zmiany siebie nie może być mowy o wzbogaceniu swego charakteru, dojrzewania osobowości i doskonaleniu się. Człowiek pozostawałby wyczekująco bierny, czekający na przysłowiowego Godota. Musimy w sposób dojrzały i odpowiedzialny stawić czoło problemom, jakie niesie życie.

Musimy poznać nasze potrzeby i niedostatki, starać się właściwie do nich podejść. Musimy przeanalizować, co motywuje nasze zachowanie i ukierunkować je tak, aby było w zgodzie z prawem naturalnym.

Zastanówmy się także, czy reagujemy na pewne sytuacje złością, czy działamy w pełni wiary i zaufania w siebie. Czy siła miłości kieruje naszym życiem, czy siła nienawiści. Każdy czerpie swą moc ze swych myśli, które się w nim rodzą.

Czasami nie wiemy, że nasz sposób myślenia powoduje ból, nędzę i nieszczęścia. Ale możemy temu zapobiec panując nad tym, na czym koncentrujemy swoją uwagę. Powinniśmy kierować się zasadą wiary w dobro, dobrobyt i szczęście, którymi musimy wypełniać serce i wytrwać w wierze, że Bóg - Źródło Dobra i Miłości nigdy nas nie zawiedzie.

54. POMYŚLNOŚĆ

Pomyślność, to harmonijne życie, pogodny dom, twórcza praca, liczne kontakty ze znaczącymi ludźmi, wewnętrzny spokój połączony z siłą i wzrostem rozwoju duchowego. A więc jest tym wszystkim, co przynosi Ci zadowolenie, radość, korzyści, sukcesy.

Każdy człowiek jest kowalem swego losu, dlatego, aby Twoje życie było pełne szczęścia, musisz tę pomyślność przyciągnąć do siebie, dostrzegać ją w sobie i dookoła siebie.

Pomyślność jest wyrazem miłości.

Twoje życie, praca, działania opierają się na współzależności z innymi. Swoją postawą, zachowaniem zdobywaj przychylność, przyjaźń wielu ludzi, szczególnie tych, których cechuje aktywność, pasja twórcza, ciekawość i prawość. Tylko tacy ludzie pobudzą Cię do działania i twórczej inicjatywy.

Pomyślność powinieneś osiągać w pracy, którą wykonujesz, w Twych działaniach także w uczynkach dla innych ludzi.

Praca ma być dla Ciebie przyjemnością, radością i powinna obfitować w twórcze pomysły.

Przyciągaj do siebie pomyślność, będzie Ci łatwiej żyć i pracować. Otaczaj się ludźmi, których kochasz. Ciesz się radością dnia codziennego.

55. DOSTATEK

Co wiemy o dostatku?

Dostatek jest przejawem doskonałości i naturalnym stanem rzeczy we wszechświecie. Abyś mógł doświadczać dostatku w swoim życiu, musisz być przeświadczony, że jest on dla Ciebie dostępny i osiągalny. Musisz chcieć otworzyć się na otrzymywanie go. Wymaga to często sporego wysiłku i zużycia własnej energii. Pracujesz i jesteś przekonany, że pracy tej nie lubisz, ale jest ona dobrze płatna i dlatego nie rozglądasz się za zmianą miejsca i rodzaju zajęcia. Masz świadomość, że otrzymywane wynagrodzenie przynosi Ci dostatek. Jest to fałszywe myślenie. Stajesz się w pewnym stopniu niewolnikiem. Powinieneś postanowić, że będziesz wykonywał taką pracę, którą lubisz. Wyzwolisz w sobie nieograniczoną energię, która będzie wspomagać kontynuację Twego uczucia ożywienia i pomoże w pozyskiwanu dla Ciebie wartościowych ludzi i okoliczności.

56. ENERGIA A DOSTATEK

Skoro wszystko we wszechświecie jest energią, to dostatek jest jej wyrazem. Opanowanie energii to również opanowanie dostatku. Postaram się tę kwestię wyjaśnić.

Kiedy wykonujesz pracę, którą kochasz, wkładasz w nią całe swoje serce, sporo energii. Pragniesz, aby wytworzone dobra były wysokiej jakości. Z Twoich usług korzystają ludzie. Chętnie kupują i dobrze płacą za produkty, bo są one świetnie i estetycznie wykonane. Którz nie cieszyłby się z kupna rzeczy czy z oferowanych usług, w które włożone było tyle energii, gdzie główną motywacją była przyjemność tworzenia?

Pomyśl o posiadaniu samochodu, który został wykonany ręką mechanika kochającego swą pracę. Każda najmniejsza część została wmontowana z troską i dokładnością. Auto to jest dumą i radością wykonawcy. Myślę, że uważałbyś za przywilej posiadanie tak doskonale wykonanego samochodu.

Taki produkt znajduje szybko rynek zbytu a producent pieniądze.

Istnieje inna postać dostatku, ważna dla każdego z nas. Jest nim Twoje ciało. Masz liczne doskonałe instrumenty z nieograniczonym potencjałem. Ograniczają je czasem jedynie przekonania o ich zdolnościach. Ale jeśli zapragniesz czegoś i uwierzysz, że możesz to osiągnąć, wtedy Twój umysł, serce, ręce, wzrok zaczynają pracować.

Mamy tendencje do koncentrowania uwagi na tym, czego nie mamy, co chcielibyśmy mieć. Nie zauważmy dostatku, który już posiadamy. Nie umiemy się nim cieszyć. Naucz się skupiać uwagę na tym, co już masz, a wówczas będziesz to pomnażał. Nie myśl o niedostatkach, brakach, gdyż będą Ci one ciągle towarzyszyły.

IV. GRUPY WZAJEMNEGO WSPOMAGANIA

57. TAJEMNICA SUKCESU ANDREW CARNEGIE

"Master Mind" oznacza współdziałanie w duchu Mistrza i można to zdefiniować, jako koordynację wiedzy i wysiłku w harmonii między dwoma lub więcej ludźmi, w celu osiągnięcia zaplanowanych zamierzeń. Umysł ludzki jest formą energii, której częścią jest natura duchowa. Kiedy umysły dwojga ludzi są skoordynowane w duchu harmonii, strona duchowa jednostek energii każdego umysłu formuje związek, z którego wyłania się nowa psychiczna forma.

Ten, kto otoczy się ludźmi, będzie mógł korzystać z ich rad, opinii i podejmować z nimi współpracę. Oni w duchu idealnej harmonii będą mu pomagać we wszystkich dziedzinach, a nawet w osiąganiu korzyści ekonomicznych. Taka forma współpracy leży u podstaw niemal każdej wielkiej fortuny. Jednym z pierwszych ludzi, który w ten sposób doszedł do olbrzymiego majątku, był Andrew Carnegie. Jego grupa wzajemnego wspomagania liczyła około 50 osób.

Zdobycie ogromnej fortuny przypisywał sile akumulowanej przez współpracę z innymi w duchu jedności.

Umysł ludzki można porównać do baterii elektrycznej. Wiadomo, że grupa baterii da więcej energii niż pojedyncza bateria. Wiadomo także, że pojedyncza bateria będzie dawać energię proporcjonalną do ilości i pojemności ogniw, z których się składa. Umysł funkcjonuje w podobny sposób. To wyjaśnia fakt, że pewne umysły są bardziej wydajne, inne mniej. Prowadzi to do ważnego stwierdzenia, że grupa współpracujących umysłów połączonych w duchu harminii, będzie produkowała więcej energii umysłowej, niż pojedynczy umysł, tak jak grupa baterii będzie dawała więcej energii, niż pojedyncza bateria.

Jest oczywiste, że zasada grupy wzajemnego wspomagania odkrywa tajemnice mocy - siły osiąganej przez ludzi, którzy otoczyli się innymi ludźmi wiedzy.

Dobrze znany jest fakt, że Henry Ford rozpoczynając swoją karierę, borykał się z wieloma życiowymi trudnościami, biedą, brakiem wykształcenia i wiedzy.

Wiadomo też, że w okresie 10 lat pokonał te trudności, a po 25 latach był już jednym z najbogatszych ludzi Ameryki.

Najszybsze i największe postępy zauważono u Forda, kiedy zaprzyjaźnił się z Thomasem A. Edisonem. Wywarł on na niego duży wpływ. Obserwując dalej karierę Forda zauważamy, że dalsze osiągnięcia zaczęły się od momentu, kiedy związał się z ludźmi o wielkiej wiedzy i mądrości, takimi jak: Harvey Firestone, John Burroughs, Luther Burbank. Człowiek przyswaja sobie wiedzę, nawyki, i siłę tych, z którymi się wiąże w duchu empatii i harmonii. Poprzez łączenie własnych doświadczeń z wiedzą, jaką reprezentowali Edison, Burroughs, Burbank, Firestone, Ford rozwinął swoją inteligencję, doświadczenie, wiedzę i siły duchowe, które emanowały z tych czterech ludzi. Co więcej, przyswoił sobie zasady korzystania ze współpracy w grupie wzajamnego wspomagania.

Te same zasady są także do naszej dyspozycji, wystarczy tylko po nie sięgnąć i stosować w życiu.

58. SYSTEM TRANSFORMUJĄCY

"Nie zapala się też światła i nie stawia pod korcem, ale na świeczniku, aby świeciło wszystkim, którzy są w domu".
(Mt. 5;15)

W każdym z nas istnieje niezaspokojone pragnienie wyrażania tego, co wiemy instynktownie, czym jesteśmy, czym możemy się stać. Często jednak z powodu małych pomyłek w naszym sposobie myślenia, albo ze względu na fałszywe sądy o nas samych nie pozwalamy tej bardziej doskonałej części naszej natury zabłysnąć, aby cały świat mógł ją dostrzec i docenić.

Istnieje jednak sposób na zmianę, na wzrost, na sukces, na osiągnięcie tego wszystkiego, czego pragnie Twoje serce. Tę formułę nazywamy systemem transformującym.

Składa się on z pięciu głównych części, każda z nich jest metodą pracy nad sobą:
1. Zasada wzajemnego wspomagania.

2. Stawianie sobie celów i dążenie do ich osiągnięcia.
3. Afirmacje.
4. Zapis tego co chcę robić, jaki chcę być, co chcę mieć.
5. Inwentarz osobistych wartości - jakim siebie widzę.

Wiele tysięcy ludzi zastosowało te metody osiągając nadzwyczajne, pasjonujące zmiany w swoim życiu. System transformujący okazał się dla nich skuteczny, może więc także pomóc Tobie w osiąganiu wzrostu, uzdrowienia i sukcesu.

59. ZASADY PRACY GRUP WZAJEMNEGO WSPOMAGANIA

"Bo gdzie są dwaj albo trzej zebrani w imię moje, tam jestem pośród nich."
(Mt. 18;20)

Żyjemy w świecie wzbudzającym grozę, a jednocześnie zdumiewającym i uporządkowanym, świecie, gdzie prawa są wypełniane z doskonałą precyzją. Źródło siły, które stworzyło ten świat, prowadzi i kieruje tym nieprawdopodobnym wszechbytem, to Bóg.

Każdy człowiek na globie ziemskim jest indywidualnym odbiciem Boga; stworzeni jesteśmy na obraz i podobieństwo Boże i mamy wrodzoną zdolność czerpania siły, geniuszu i mądrości Boskiego Mistrza.

Aby to osiągnąć i znaleźć najlepszą drogę do rozwiązania istniejących w naszym życiu problemów, warto przyjąć system wzajemnego wspomagania. Wzajemne wspomaganie zwielokrotnia naszą siłę.

System duchowego wspomagania opiera się na odwiecznym założeniu, że połączenie energii dwóch lub więcej podobnie myślących osób, jest wielokrotnie większe, niż całkowita energia jednostki ludzkiej. System ten uczy także, że osoby myślące podobnie jak my, pomagają nam wierzyć i akceptować to, z czym sami mamy trudności.

Wskazówki do stosowania systemu transformującego.
System ten stosowany z ufnością, pilnością i przekonaniem pozwoli nam doświadczyć wyższego "Ja" niż to, jakie stanowi podstawę naszego dotychczasowego bytu.

Jednym z podstawowych elementów systemu transformującego jest samoobserwacja i samonaprawa. Polega to na eliminowaniu wadliwego i błędnego sposobu myślenia o sobie, Który uwłacza naszemu doskonałemu, wewnętrznemu "Ja". Prawdą jest bowiem, że cokolwiek umysł nasz sobie wyobrazi i w co uwierzy, stanie się rzeczywistością. Umysł jest więc budowniczym naszej osobowości.

Z chwilą, kiedy zastosujemy technikę samoobserwacji i w naszym umyśle zaczną się formować właściwe wzory, będzie to znaczyło że system transformujący działa skutecznie.

Na przykład: Jeśli chcesz opanować lęk, zacznij obserwować sytuacje dnia codziennego, które wywołują w Tobie reakcje lękowe. Notuj je i ich rezultaty. W ten sposób poznasz pewną liczbę wzorów, które wywołują w Tobie stany lękowe. Poznanie umożliwi Ci całkowitą ich eliminację przez odpowiednią pracę.

Prowadzenie dziennych zapisów dotyczących Twoich reakcji na ludzi i sytuacje życiowe, pozwoli Ci stwierdzić, które z działań należy wyeliminować, aby nie przeszkadzały Ci w osiągnięciu postępu na drodze do realizacji osobistych pragnień.

Wskazówki dla grupy wzajemnego wspomagania.
Grupa wzajemnego wspomagania powinna składać się z dwóch albo więcej osób (najlepiej 2 do 6), które spotykają się regularnie w atmosferze zaufania i zrozumienia, w celu wzajemnego wsparcia i zachęty do uwierzenia w takie działania, które samemu trudno jest rozpoznać, lub w które trudno uwierzyć.

Grupa wzajemnego wspomagania nie ma na celu bezpośredniego rozwiązywania problemów, lecz dzielenie się uwagami i przekazywanie duchowego wsparcia, a także wspólne odniesienie się w aktualnych sprawach od Opatrzności Bożej.

Spotkania mogą odbywać się w domu, w pracy, w restauracji lub na gruncie neutralnym, w jakimkolwiek wspólnie uzgodnionym miejscu. Winny one być krótkie i nie częstsze niż raz na tydzień.

Sposób przeprowadzenia spotkania grupy.

Na początku spotkania, członkowie grupy powinni podzielić się swoimi doświadczeniami, jakie zaszły w okresie od ostatniego widzenia. Jest to potrzebne dla sprawdzenia postępów grupy, jej osiągnięć i realizacji planów.

Jedna z osób przejmuje funkcję przewodnika i otwiera posiedzenie. Przypomina, o obecności wśród nas Boga i że Bóg wysłuchuje próśb zanoszonych do Niego z ufnością

Kim jest partner wzajemnego wspomagania?

Partnerem jest osoba, z którą spotykasz się regularnie w duchu porozumienia, zaufania i miłości w sprawach najbardziej żywotnych dla poszczególnych członków grupy.

Partnerzy wzajemnie wysłuchują próśb, kierowanych do Pana Boga, przyłączają się do nich i podtrzymują każdego, aby z ufnością oczekiwał spełnienia swoich pragnień.

Członkowie grupy dobierają się według własnego uznania.

Każdy nowy kandydat może wejść do grupy tylko za zgodą wszystkich jej członków. Partner wspomagający to ktoś, do kogo można się zwrócić w każdej chwili, kiedy potrzebuje się pomocy albo wsparcia. Partnerzy zwykle utrzymują ścisły kontakt ze sobą. Świadomość, że duchowe wsparcie jest tak bliskie, jak aparat telefoniczny, jest wielką pociechą w chwilach krytycznych, ale także wówczas, gdy pragniemy się podzielić naszą radością naszymi sprawami, a więc i realizowanymi pragnieniami.

Grupa wzajemnego wspomagania jest wspólnotą, której wszyscy członkowie mają równe prawa. Nie ma w niej kierownika, każdy z partnerów może przejąć inicjatywę w organizowaniu kontaktów i spotkań. Jednakże w czasie trwania spotkania jedna osoba przejmuje rolę przewodniczącego, odpowiedzialnego za pokierowanie grupą i utrzymaniu jej uwagi na właściwym celu.

Partner wspomagający powinien być godny zaufania, aby można było powierzyć mu nawet najbardziej osobiste sprawy. Członków obowiązuje przestrzeganie tajemnicy.

Partnerzy wspomagający wierzą w moc Bożą, gdyż wielokrotnie znajdowali rozwiązania i doświadczali uzdrowień, w każdej dziedzinie życia. Zdrowie, pomyślność, spokój ducha, wzbogacone poczucie własnej wartości, osiągnięte cele zawodowe i harmonijne związki - oto przykłady dziedzin, w jakich zostali oni wysłuchani.

Św. Paweł Apostoł pisał w swoim liście: "Proszę was tedy, bracia, przez Pana naszego Jezusa Chrystusa, abyście mnie wspomagali w modlitwach moich ze mną do Boga". (Rz. 15;30).

Osiem punktów stanowiących program spotkań grupy.

1. Poddaję się z ufnością
Przyznaję, że jestem bezsilny w rozwiązaniu moich własnych problemów i naprawieniu mojego życia. Potrzebuję pomocy.

2. Wierzę
Doszedłem do przekonania, że Siła Wyższa, Pan Bóg, może mi personalnie udzielić odpowiedzi na dręczące problemy.

3. Rozumiem
Zdaję sobie sprawę, że mój błędny sposób myślenia jest przyczyną moich problemów, porażek, nieszczęść i lęków. Jestem gotów zmienić całkowicie mój system przekonań, tak aby moje życie mogło ulec poprawie.

4. Decyduję
Podejmuję decyzję powierzenia mojego życia Bożej Opatrzności. Proszę o to, abym się całkowicie odmienił.

5. Przebaczam
Przebaczam sobie wszystkie popełnione błędy, przebaczam także i odpuszczam każdemu, kto zranił mnie i skrzywdził w jakikolwiek sposób.

6. Proszę
Kieruję moje osobiste prośby do Opatrzności i do moich partnerów wspomagających mnie duchowo.

7. Z wdzięcznością przyjmuję
Z radością akceptuję to, co mnie spotkało, i dziękując, wierzę, że cudownie działająca potęga Boża odpowiedziała na każdą moją prośbę. Żywię już teraz takie uczucie, jakby moje prośby zostały całkowicie spełnione.

8. Zobowiązanie
Ufam, że Opatrzność da mi wszystko, co jest konieczne do szczęśliwego i wypełnionego sukcesem życia.

Ofiaruję siebie do dyspozycji Bogu i bliźnim, postanawiam żyć w sposób przykładny, godny naśladowania i pozostawać otwartym na wypełnienie i przekazywanie woli Bożej.

Idę w życie pełen entuzjazmu i radosnego oczekiwania, zachowuję spokój i równowagę wewnętrzną.

Wiem, że Opatrzność wysłucha mnie i doświadczę tego, o co prosiłem.

60. INWENTARZ WARTOŚCI OSOBISTYCH

"Inwentarz wartości osobistych" lub inaczej "Inwentarz personalny" jest podróżą do wnętrza Twojego umysłu w celu odkrycia faktów i stawienia im czoła. To początek nowego sposobu życia, w którym szybko osiągniesz pełną świadomość swych poczynań i wzbogacisz obraz samego siebie.

Celem takiego inwentarza jest spisanie własnych uczuć i myśli z absolutną uczciwością, z równoczesnym wychwyceniem wad charakteru, które stoją na przeszkodzie osobistego rozwoju. Pomoże Ci to w wyszukaniu metod do opanowania wad i zastąpienia ich dobrymi cechami.

Twój "Inwentarz personalny" pozwoli Ci w szybkim czasie wyodrębnić przyczyny niezadowolenia wynikającego z działań, bowiem wyjawi wewnętrzne negatywne emocjonalne stany umysłu, które decydują o zewnętrznych wydarzeniach dotyczących Ciebie.

Inwentarz wymaga pełnej uczciwości wobec samego siebie, dlatego stanowi najtrudniejsze wyzwanie dla Ciebie z całego systemu Przebudowy Życia.

Jeżeli zaakceptujesz siebie i będziesz regularnie, skrupulatnie analizował swoje myśli i uczucia, zapisywał je w momencie, gdy przestaniesz siebie potępiać i osądzać, to osiągniesz zupełną uczciwość. Rozpoczniesz proces zmian i rozwoju.

Zorientowałeś się już zapewne, że wykonanie "Inwentarza wartości osobistych" może przynieść Ci ogromne korzyści. Nie zwlekaj więc. Do dzieła! Potrzebujesz ołówka lub długopisu, dużego brulionu oraz wiarę w moc większą niż wydaje Ci się, że posiadasz.

Na początku każdej stronicy napisz: Pan kieruje moją ręką. Chcę, abym napisał to, co powinienem. Istnieje plan stworzony przez Boga i teraz się odsłania.

Zapytaj siebie:

Jakie problamy utrudniają mi życie?

Jaka sytuacja wywołuje u mnie wstyd, ból, gniew, lęk i żal?

Czy właściwie wypełniam wszystko to, za co jestem odpowiedzialny?

Czy w pewnych dziedzinach mojego życia (w związkach, karierze, finansach, itd) doświadczam powtarzajcych się niepowodzeń?

Kogo obwiniam i do kogo odnoszę pretensje za niepowodzenia?

Bądź całkowicie uczciwy wobec siebie. Zapisz odpowiedzi takie, jakie Twój umysł i serce Ci wyjawiły. Nie wypowiadaj sądów, kiedy te informacje przychodzą.

Przedstawiam poniżej kilka przykładów negatywnych uczuć, które mają wpływ na powstawanie w nas złych cech charakteru:

Lęk - powoduje odrzucenie siebie i innych, niecierpliwość, impulsywność, nadwrażliwość, zazdrość, nieodpowiedzialność, zawiść.

Niepewność - wywołuje odkładanie spraw na później, uzależnienia, martwienie się, niezdecydowanie.

Osamotnienie - powoduje izolację, rozczulanie się nad sobą, stawanie się ofiarą losu.

Próżność - wywołuje nieodpowiedzialność, fałszywą dumę, zawiść, rozczulanie się nad sobą, poczucie winy.

Gniew - wywołuje urazy, obwinianie innych, nietolerancję, szukanie usprawiedliwienia, żądzę zemsty, manipulowanie innymi ludźmi.

Na powstawanie uczuć i emocji, które niekorzystnie wpływają na nasz charakter mają wpływ na sytuacje i zdarzenia np: Znajomy kupił nowy samochód. Powiedziałem mu, że dokonał złego wyboru i że ja na pewno dokonałbym lepszego. Odczuwam tu pewien niesmak z powodu kłamstwa. Zrodziła się we mnie zazdrość i zawiść, że to nie ja jestem posiadaczem nowego samochodu.

Aby odwrócić negatywne działania i emocje należy uwolnić się od przeszłości. Wiąże się to ze sprawą przebaczania i stworzenia nowych pozytywnych wzorców, działań i uczuć.

V. NAWYKI

61. CZYM SĄ NAWYKI?

W poprzednich rozdziałach mówiliśmy o osiąganiu celów, o dążeniach, działaniu, o wartościach naszego życia.

W tym rozdziale chciałbym zająć się nawykami, gdyż one są podstawą do budowania sukcesów. One ułatwiają lub utrudniają nam życie. Pomagają w realizacji zamierzeń i osiąganiu sukcesów.

Do osiągania wymarzonych celów, sukcesów potrzebna nam jest wewnętrzna samodyscyplina. Ona też odgrywa poważną rolę w kształtowaniu się nawyków.

Jest to program na zmianę życia. Nie wyolbrzymiam tu niczego. Mogę natomiast gwarantować, co potwierdziło już tysiące ludzi, że jeśli uda Ci się zrozumieć istotę, sens i znaczenie nawyków, to zaczniesz się tą wiedzą dzielić z innymi. Ma to dobrą stronę, bo przekazując wiadomości, sam utrwalasz je w sobie i gwarantujesz, a co najważniejsze, stosujesz je w swoim życiu codziennym.

To, kim jesteś, przemawia do ludzi mocniej niż to, co mówisz lub co robisz. Przekonasz się, że wielu ludzi zmieni swoje nastawienie do życia, aby było ono lepsze.

Bardzo wielu ludzi idzie obraną przez siebie drogą i w pewnym momencie zatrzymują się, bo nagle dostrzegli, że to, co robią, nie przedstawia żadnych większych wartości. Postanawiają dokonać zmiany w swych dążeniach, celach i to tak, aby życie uległo zupełnej odmianie.

I tu z pomocą może przyjść "Siedem nawyków wysoce efektywnych ludzi". Mogą one być zastosowane dla pojedynczych osób dla małżeństw, rodzin, biznesów, a także dla prywatnych i publicznych organizacji.

Zanim przejdziemy do samych nawyków, ważną rzeczą dla Ciebie będzie, abyś wiedział, że nie jest to program do szybkiej realizacji.

Aby nabyć i opanować siedem nawyków, tak aby stały się one Twoimi własnymi, musisz dokonać trzech podstawowych rzeczy:
1. Nauczyć się ich.
2. Przekazywać je innym ludziom.

3. Wykorzystywać je aktywnie i stosować w codziennym życiu. Co to znaczy nauczyć się nawyków? Musisz ciągle o nich myśleć, doskonalić je, doprowadzać do perfekcji i mechanicznego wykonywania. Zdobytą wiedzę o nawykach i związane z tym doświadczenia musisz natychmiast przekazywać innym. Da Ci to duże poczucie odpowiedzialności, a równocześnie będzie zobowiązywało do postępowania zgodnego z tym, co mówisz. Będzie stanowiło silną motywację do pielęgnowania pozytywnych nawyków.

W momencie kiedy zdecydujesz się kogoś uczyć, zmieniasz się w swojej roli, przestajesz myśleć o sobie jako o studencie i zaczynasz wchodzić w rolę nauczyciela.

62. CO NAZYWAMY NAWYKIEM

Ważne są nasze zachowania, role, jakie pełnimy oraz to, jak patrzymy na zachowanie ludzi w różnych sytuacjach: Czy potrafimy zrozumieć ich postawy i reakcje, a tym samym zająć odpowiednie stanowisko i zmienić swoje nastawienie.

Proponuję skoncentrować uwagę i wziąć udział w zdarzeniu, które opiszę. Podczas czytania krótkiej historyjki, staraj się zauważyć, jaka jest Twoja reakcja na zachowania ludzi oraz czy rozwój sytuacji wpłynie na zmianę Twojego nastawienia.

Chicago, niedziela rano, cicho, spokojnie. Znajduję się w podziemiach kolejki. Jest pusto. Nadjeżdża pociąg. Wsiadam do wagonu, w którym jest niewielu pasażerów. Jedni czytają prasę inni rozmawiają. Nagle do wagonu wsiada mężczyzna z czwórką dzieci. Siada zamyślony obok mnie. Dzieci są bardzo głośne i ruchliwe. Biegają po całym wagonie, krzyczą, wyrywają czytającym gazety, popychają się, szarpią. Klimat spokoju uległ radykalnej zmianie. Sytuacja stała się denerwująca. Ojciec nie reaguje na zachowanie swych pociech. Zwracam się do mężczyzny z prośbą, aby uspokoił rozbrykaną czwórkę. Człowiek ten sprawił wrażenie wyrwanego ze snu, z letargu. Spojrzał na mnie jakoś dziwnie. Ocknął się i wyszeptał drżącym głosem, że on na to nie ma dość siły. Wracają ze szpitala, gdzie przed godziną zmarła matka dzieci. Jest załamany zamyślony, bo nie wie, w jaki sposób ma im tę wiadomość przekazać. Boi się, jak dzieci zareagują. Zrobiło mi się przykro. Spytałem, w czym mogę być mu pomocnym.

Zauważ, jak spontanicznie budzi się w Tobie chęć przyjścia z pomocą temu człowiekowi, ile sympatii masz dla niego.

Jakiej zmianie uległa Twoja postawa, zachowanie i nastawienie? Zupełnie inaczej patrzysz na zaistniałą sytuację. Co na to wpłynęło?

Teraz już wiesz, że własna interpretacja tego, co wydarzyło się owemu mężczyźnie.

Zadziałało tu nałożenie się na siebie: wiedzy, biegłości i postawy. Wiedziałeś, że trzeba zareagować na oświadczenie mężczyzny, wiedziałeś jak to zrobić i dlaczego. I zareagowałeś odpowiednio. Takie postępowanie przechodzi stopniowo w nawyk.

Świadome wykonywanie pewnych czynności, z udziałem naszej woli i uczuć, przechodzi w przyzwyczajenie. Jeśli one będą powtarzane, utrwalane, to zostaną doprowadzone do mechanicznego opanowania. Stają się wówczas nawykami.

Rozróżniamy nawyki dobre i złe. Oto kilka przykładów: mycie rąk przed jedzeniem, mycie zębów po posiłkach, mycie owoców, czytanie prasy, książek, grzeczna obsługa klienta przez urzędnika, ustępowanie miejsca starszym - to dobre nawyki. Ale obgryzanie paznokci, kradzieże, kłamstwa - to bardzo złe nawyki.

Jeśli chcesz posiąść coś jako nawyk, to musisz wiedzieć, co masz robić, ale również musisz chcieć to zrobić. Pragnienia, wzory, Twoja wiedza, umiejętności, postawa i chęci są częścią składową nawyków.

63. EFEKTYWNA DZIAŁALNOŚĆ - CZĘŚCIĄ SKŁADOWĄ NAWYKÓW

W naszych rozważaniach musi pojawić się słowo "efektywny", gdyż łączy się ono z nawykiem. Wykonać coś efektywnie to znaczy tak, aby były z tego korzyści dla Ciebie i innych, aby były widoczne rezultaty tego, co robisz. Musisz posiadać zdolność produkcyjną, bo ona jest istotą efektywności. Pamiętaj również o zachowaniu równowagi w dążeniu do pożądanych rezultatów.

Przytoczę tu krótką bajkę.

Na farmie żył biedny człowiek. Narzekał na swój los. Był załamany. Miał jedyną towarzyszkę, którą bardzo lubił. Była to piękna biała gęś. Kiedy pewnego dnia podszedł do niej, aby z nią pogawędzić, zauważył wspaniałe złote jajo. Błyszczało ono okazale w promieniach słońca. Przez głowę przebiegła mu myśl, że ktoś chce z niego zakpić i mami go takim prezentem. Odrzucił jajo w krzaki. Nie miał spokoju. Odnalazł je, sprawdził i stwierdził, że to szczere złoto. Był urzeczony. Zbudziła się w nim chęć wzbogacenia. Następnego dnia znalazł kolejne jajo. Co dzień bogacił swój zbiór o nowe. Stał się bardzo bogaty, ale równocześnie obudziła się w nim niecierpliwość i chęć posiadania więcej i więcej. Chciwość podsunęła mu pomysł dostania się do wnętrzności gęsi i wyrwania z niej całego skarbu. Zapomniał, że może uśmiercić ptaka.

Nie zachował równowagi między tym, co chce, a tym, co może być. Nie osiągnął efektu, o jakim myślał. Stracił źródło przynoszące mu zyski.

Dlatego, dążąc do określonego celu, musimy zawsze widzieć końcowy efekt naszej działalności z równoczesnym uwzględnieniem równowagi w tym, co robimy.

64. NAWYKI LUDZI SUKCESU

Siedem nawyków wysoce efektywnych ludzi, przebiega drogą od zależności przez niezależność do współzależności.

Jako niemowlę byłeś całkowicie uzależniony od opieki innych, którzy karmili Cię, uczyli, kierowali Tobą. Dorastając, stopniowo stawałeś się niezależny, aż w momencie pełnej dojrzałości, kiedy odpowiednio zostałeś przygotowany do życia, stałeś się świadomy współzależności między Tobą, a tym, co Cię otacza.

W podobny sposób dzieje się z siedmioma nawykami, które kształtują Twój rozwój i dojrzałość.

Ludzie uzależnieni potrzebują innych ludzi do osiągania tego, czego pragną.

Człowiek niezależny zyskuje wszystko dzięki swojej aktywności i własnym wysiłkom.

Zaś ludzie współzależni uzyskują cele dzięki wysiłkom własnym i współpracy z innymi.

Nie trzeba się długo zastanawiać, żeby wyciągnąć wniosek, że współzależność dominuje nad niezależnością. W zasadzie wszystko jest od siebie wzajemnie uzależnione. Szczególnie jest to widoczne w przyrodzie, której częścią składową jesteśmy.

Sięgnijmy po przykład z dziedziny ekologii, kiedy to człowiek dla swoich potrzeb dewastuje dżungle Amazonii. Bezmyślność spowodowała nieodwracalne następstwa. Odbiło się to katastrofalnie na współzależnym systemie roślin, życiu zwierząt i ludzi. Wpłynęło na zmianę pogody, bilansu wodnego. Człowiek nie miał prawa niweczyć tego, co tworzyło nierozerwalną całość, tego, co żyło w symbiozie.

Ten przykład unaocznia nam, że życie w oderwaniu nie może toczyć się normalnie. Zbyt dużo czynników wpływa na nasze zdrowie, świadomość, zachowanie, postawy czy nawet kształtowanie charakteru.

Zanim przejdę do omówienia poszczególnych nawyków, proponuję mały test - zabawę. Myślę, że będzie Ci on pomocny w samoocenie.

Materiał ten może być stosowany jako narzędzie samodiagnozy analizujące Twoje mocne i słabe strony w odniesieniu do stosowania w życiu "Zasad siedmiu nawyków" dla uzyskania wysokiej efektywności działań.

Przeczytaj zatem kolejne punkty, zawarte w jedenastu kategoriach i dokonaj wyboru zgodnego z Twoim przekonaniem. Zaznacz swój wybór kółeczkiem.

	Nigdy, prawie wcale	Rzadko	Czasem	Często	Prawie zawsze
Przykład: Okazuję wiarę i wsparcie dla potencjału innych ludzi.	1	2	3	4	5
Kategoria I 1. Zachowuję równowagę w moim życiu (praca, rodzina, rozrywka).	1	2	3	4	5
2. Uczucia są dla mnie tak ważne jak fakty.	1	2	3	4	5
3. Zwracam uwagę zarówno na proces, jak i na rezultaty.	1	2	3	4	5
Kategoria II 1. Innym ludziom okazuję uwagę i uprzejmość.	1	2	3	4	5
2. Robię to, co deklaruję.	1	2	3	4	5
3. Przyznaję się do popełnionych błędów, agresji i przepraszam tych, których obraziłem.	1	2	3	4	5
Kategoria III 1. Dzielę się z innymi zdobytą wiedzą.	1	2	3	4	5
2. Staram się przedstawiać rzeczy łatwo i interesująco, kiedy uczę lub dzielę się informacjami.	1	2	3	4	5
3. Dzielę się tym, co jest praktyczne i pożyteczne.	1	2	3	4	5
Kategoria IV 1. Mam szerokie poglądy.	1	2	3	4	5
2. Jestem skłonny dostrzegać punkty widzenia innych ludzi.	1	2	3	4	5
3. W moim sposobie myślenia jestem otwarty i respektuję opinie innych.	1	2	3	4	5
KategoriaV 1. W działaniu wykazuję inicjatywę.	1	2	3	4	5
2. Jestem wytrwały w działaniu, ale nie zaczepny i przykry dla innych.	1	2	3	4	5
3. Staram się działać tak, aby osiągnąć dobre rezultaty nawet w trudnych warunkach.	1	2	3	4	5
Kategoria VI 1. Wiem, do czego zdążam.	1	2	3	4	5
2. Jestem wytrwały w działaniu.	1	2	3	4	5
3. Działam pobudzony bardziej wartościami wewnętrznymi niż zewnętrznymi okolicznościami.	1	2	3	4	5

Kategoria VII					
1. Jestem dobrze zorganizowany.	1	2	3	4	5
2. Wykonuję zadania według ich ważności.	1	2	3	4	5
3. Kontroluję rzeczy dokładniej, gdy jestem w sytuacji kryzysowej.	1	2	3	4	5
Kategoria VIII					
1. O sukces innych dbam, tak samo jak o swój własny.	1	2	3	4	5
2. Ujawniam we wszystkich dziedzinach uczucia dostatku, a nie braków.	1	2	3	4	5
3. Współpracuję z innymi i pomagam im budować pomyślność.	1	2	3	4	5
Kategoria IX					
1. Ciągle wzbogacam się, uczę i rozwijam.	1	2	3	4	5
2. Zwracam uwagę na moje fizyczne dobre samopoczucie (gimnastykuję się i racjonalnie odżywiam).	1	2	3	4	5
3. Pracuję zgodnie z moim posłannictwem i celami życiowymi.	1	2	3	4	5

Podlicz punkty w poszczególnych kategoriach i wpisz do podanej tabeli w rubrykę numer 2. Następnie każdą sumę podziel przez liczbę trzy i wpisz wynik do kolumny numer 3. Otrzymasz przeciętną kategorii. Do rubryki numer 6 nanieś wyniki średniej.

A teraz swój wynik sprawdź z tym, co jest w kolumnie numer 5. Pierwsze cztery kategorie odnoszą się do fundamentalnych zasad "siedmiu nawyków", pozostałe siedem to już nawyki.

Im wyższe są Twoje oceny, tym bardziej jesteś w zgodzie z zasadami "siedmiu nawyków". Oceny niższe sygnalizują Ci, że musisz twórczo popracować nad sobą, aby podnieść efektywność w tym zakresie.

KARTA DOSKONALENIA SIEDMIU EFEKTYWNYCH NAWYKÓW

1	2	3	4	5	6
Numer kategorii	Suma kategorii	Wynik	Osiągnięcia	Rodzaj nawyku	Twój profil 1 2 3 4 5
I II III IV			FUNDA- MENTALNE ZASADY	1.Równowaga 2. Stosunek do drugiego człowieka 3. Dzielenie się zdobytą wiedzą 4. Szeroki punkt widzenia	
V VI VII VIII IX X XI				1. Inicjatywa w działaniu 2. Wytrwałość w działaniu 3. Perfekcjonizm we wszystkich działaniach 4. Współpraca w osiąganiu celów 5. Otwartość i odwaga w wyrażaniu poglądów 6. Współdziałanie w rozwiązywaniu nowych pomysłów 7. Dbałość o dobrą formę fizyczną, psychiczną i duchową	

Po przeanalizowaniu tabelki widzisz, że równowaga, stosunek do drugiego człowieka, dzielenie się zdobytą wiedzą, szeroki punkt widzenia, są istotnymi czynnikami w naszych zachowaniach i mają kolosalny wpływ na kształtowanie się nawyków.

SIEDEM PODSTAWOWYCH NAWYKÓW, TO:

1. Inicjatywa w działaniu.
2. Wytrwałość w działaniu.
3. Perfekcjonizm we wszystkich poczynaniach.
4. Współpraca w osiąganiu celów.
5. Otwartość i odwaga w wyrażaniu poglądów.
6. Współdziałanie w rozwiązywaniu nowych pomysłów.
7. Dbałość o dobrą formę fizyczną, psychiczną i duchową.

Nawyk pierwszy, drugi i trzeci stanowią część składową naszego charakteru. Nawyki te umożliwiają każdemu przestawianie się z zależności w niezależność.

Nawyki czwarty piąty i szósty stanowią zaś o zewnętrznej ekspresji charakteru w Twoich związkach z innymi ludźmi. Są ze sobą mocno zintegrowane wypływają jeden z drugiego.

Zajmę się teraz omówieniem kolejnych nawyków. Pierwszy nawyk dotyczy aktywności, czyli Twojej inicjatywy w działaniu. Powinieneś być proaktywny, to znaczy taki, który robi więcej, niż tylko podejmuje decyzje. Często musimy decydować o ważnych sprawach, nawet takich, które są częścią naszego życia. To naprawdę ogromna odpowiedzialność.

Podejmując decyzję musisz mieć własny punkt widzenia pewnych rzeczy, jasną koncepcję rozwiązań, opartą na wartościach i na działaniu.

Planujesz spędzić wolną sobotę z rodziną na łonie natury. Wszyscy są podnieceni przygotowaniami. Tymczasem pogoda spłatała figla. Plany zostały zburzone. Proaktywni ludzie mają pogodę w sobie, cechuje ich optymizm. Wiedzą, co było ich celem, twórczo organizują piknik w innym miejscu, choćby we własnym podpiwniczonym domu. Gry, zabawy, czytanie fragmentów przygodowych książek, rozjaśni wszystkim twarze. Dzień upłynął radośnie i nikt nie czuł się zawiedziony.

Ludzie bez inicjatywy myślą inaczej. Przede wszystkim narzekają, psioczą, że wszystkie ich wysiłki poszły na marne, że bez ich winy została zaprzepaszczona szansa spędzenia wspólnie wolnego czasu. Ten ponury nastrój na pewno udziela się wszystkim domownikom.

Człowiek proaktywny nie ma tendencji do narzekania, skarżenia się na ludzi, na zaistniałą sytuację, na warunki. Nie obwinia losu. On wie, że od jego twórczej aktywności wiele zależy.

Kiedyś w Chicago miałem spotkanie a dużą grupą ludzi. Dyskutowaliśmy na temat inicjatywy w działaniu, dążeniu do realizacji, wytrwałości. Nagle jedna z uczestniczek, bardzo podekscytowana, zabrała głos. Była niemal oburzona, że próbuję udowodnić, iż człowiek jest odpowiedzialny za różne sytuacje i problemy, że musi decydować i wychodzić z inicjatywą nawet w beznadziejnych dla niego momentach. Opowiedziała, że od lat opiekuje się mężczyzną bardzo niegodziwym i niewdzięcznym, że czuje się podle. Jest bliska załamania. Nie może odwrócić swego losu, bo to jej mąż i ma w stosunku do niego moralne zobowiązania. Próbowałem jej wyjaśnić pewne zasady w oparciu o moc wyborów, o własne decyzje. Powoli topniała. Zrozumiała, że może i powinna podejmować decyzje i kierować życiem, nie tylko ulegać i być posłusznym narzędziem w ręku męża. Uwierzyła, że może się stać proaktywna, a wówczas stanie się wierna własnej naturze. Będzie miała siłę oddziaływania na męża. Wcale nie musi odchodzić od niego, aby zmienić swój los. Ważna jest w tym wszystkim swoboda i poczucie wolności. Swoboda to nasze warianty wyboru w otoczeniu. Zaś wolność jest wewnętrzną mocą wyboru.

Korzystając z wolnej woli wyboru, bądź w pełni świadom, że tworzysz model swego życia. Każdym razem, kiedy wybierasz, rysujesz nowę linię na mapie swojej egzystencji.

Sam kontrolujesz osobiste przeznaczenie i własne doznania. Decydujesz, kim chcesz być i kim się stajesz, ponieważ masz władzę nad każdym przeżyciem, doznaniem i doświadczeniem. Masz władzę i możesz panować nad całym swoim bytem, bez względu na to, co Ci się może zdarzyć. Głupotą byłoby szukanie winy w kimś lub czymś, bowiem przyczyna wszystkiego leży w Twoim umyśle i sercu.

Kiedy naszym wyborem kieruje rozum i natchnienie, wówczas życie toczy się drogą mądrości i siły, sukcesu, wielkich lub małych dokonań.

Do życia naszego wkracza determinizm, który powoduje wiele ograniczeń. Spotykamy się z nim już przy urodzeniu: to determinizm genetyczny, przekazywany z pokolenia na pokolenie.

Determinizm psychiczny, który powstaje w wyniku tego, co zdążyli Ci wpoić Twoi wychowawcy, wiąże się często z obawą i lękiem.

Najrozleglejszy jest determinizm środowiskowy. Często oznacza to, że Twój przełożony, Twoja żona, czy koledzy komplikują Ci życie. Może tu zadziałać także zła sytuacja ekonomiczna i poczujesz się źle, podle.

Sytuacje te są przyczyną wielu kłopotów, a czasem nieszczęść.

Trzeba sobie umieć zdawać sprawę z tych ograniczeń i uwolnić się od nich. Masz przecież moc wyboru.

Pamiętaj, że Ty jesteś odpowiedzialny za podejmowane decyzje, za uzyskiwane efekty, za własne szczęście.

Aby podjęta inicjatywa, była doprowadzona do końca, musisz wykazać się wytrwałością w działaniu. A to już drugi nawyk.

Nie może tu zabraknąć emocjonalnego zaangażowania. Wytrwałość to bardzo ważna cecha. Ona zawsze prowadzi do wspaniałych wyników. Ludzie, którzy nie posiadają tej cechy, niewiele mogą osiągnąć czy zdziałać. Musisz pracować nad tą tak ważną cechą i tylko systematyczność doprowadzi Cię do nawyku. Wytrwałość w działaniu wiąże się z przywództwem. Musisz w swych zamierzeniach być liderem, często kierownikiem, który jasno określa działania i cele.

Kiedy będziesz uparcie dążył do wyznaczonych celów, osiągniesz w tym perfekcjonizm. Perfekcjonizm we wszystkich poczynaniach, to już trzeci nawyk.

Nawyk ten pozwala Ci koncentrować się na sprawach najważniejszych w Twoim życiu, w działaniu, w spędzaniu wolnego czasu. Do zarządzania własnym czasem może być pomocny ten oto wykres.

ĆWIARTKA I	ĆWIARTKA II
CZYNNOŚCI PILNE, WAŻNE	CZYNNOŚCI NIEPILNE, WAŻNE
Kryzysy Pilne problemy Terminowe projekty	Zapobieganie kryzysom Wyjaśnianie wartości Planowanie Budowanie kontaktów Prawdziwa rekreacja
ĆWIARTKA III	ĆWIARTKA IV
CZYNNOŚCI PILNE, NIEWAŻNE	CZYNNOŚCI NIEPILNE, NIEWAŻNE
Różne przeszkody Telefony Listy, raporty Spotkania Wiek Ważne sprawy Popularne czynności	Listy Telefony Strata czasu Przyjemnościowe działania

Czas spędzamy w różny sposób. Ta tabela ma na celu pomóc nam w zorientowaniu się, czy ekonomicznie wykorzystujemy czas, czy dajemy priorytet sprawom pilnym, czy też czasami wykonujemy mniej pilne, ale pewnie łatwiejsze dla nas do realizacji rzeczy. Istotne jest, aby skoncentrować się zawsze na sprawach najważniejszych, najpilniejszych. Unikamy wtedy wielu stresów z powodu przeoczenia spraw pilnych i osiągniemy większą efektywność. Nie będziemy marnować czasu. Pomoże to uzyskać osobisty spokój i harmonię. Dojdziemy do nawyku ustalania ważności i pilności realizacji celów zgodnie z ich hierarchią ważności i pilności.

Ćwiartka I - to sprawy pilne i ważne, które zwykle określamy jako kryzysy, problemy i terminowe projekty. W grupie tej zawarte są Twoje czynności, których nie wolno odłożyć na później, gdyż mogą Cię spotkać przykre następstwa z tego powodu.

Ćwiartka II - to czynności ważne, ale nie pilne. Są one związane z Twoim codziennym życiem, z Twoimi celami, lecz nie wymagają natychmiastowego działania. Ćwiartka ta wiąże się z nawykami ludzi sukcesu. Stanowi klucz do zarządzania.

Ćwiartka III - to sprawy pilne, lecz nieważne. Mogą tu znaleźć się rzeczy pilne i ważne dla innych ludzi, ale nie mające ścisłego związku z Twoimi planami, celami, z Twoją misją życiową.

Ćwiartka IV - zawiera czynności nieważne i niepilne. Marnujesz wiele czasu na rozmowy telefoniczne, długie, nic nie wnoszące do Twojego życia dysputy, na nieprzygotowane spotkania, itd. Jesteś zajęty przez cały dzień, nic nie osiągasz, tracisz bezproduktywnie wiele czasu i cennej energii.

Z tej analizy wynika, że ćwiartka III i IV nie mają dla Ciebie znaczenia. Musisz nauczyć się mówić "nie", przyjacielsko, serdecznie i z uśmiechem. Jeśli taki będzie Twój stosunek do tych ćwiartek, to korzystają na tym sprawy z ćwiartki II. Skoncentrujesz się na tych czynnościach, a tym samym zmniejszysz ilość spraw z ćwiartki I.
Możemy powiedzieć, że czynności z I ćwiartki pracują dla ciebie, zaś II ćwiartka wymaga, abyś nad nią pracował, abyś działał twórczo, abyś był przywódcą dla swych problemów i celów.
Myślę, że tabelka ta pozwoli Ci przeanalizować właściwy stosunek do zarządzania czasem. Zastanów się, czy nie tracisz go na nieistotne problemy.

Czy dostrzegłeś ważność trzech pierwszych nawyków? One pomagają budować głęboką bazę własnego charakteru i osobistego bezpieczeństwa. Opanowanie tych nawyków da Ci zdolność do budowania trwałych, bogatych i wysoko produktywnych związków z innymi ludźmi. I tu przychodzą kolejne trzy nawyki, które prowadzą do wzajemnych związków.

Do osiągania celów potrzebna jest współpraca. To jest nawyk czwarty. Może to być współpraca z ludźmi, ze środkami technicznymi, a może tylko ze zdobytymi wiadomościami lub nawykami. Jest to współzależność w realizacji dążeń.

Otwartość i odwaga w wyrażaniu poglądów to piąty nawyk. Ma on ważne znaczenie w Twoim życiu. Jeśli bowiem jesteś otwarty dla ludzi, jasno wyrażasz to, co czujesz, zostaniesz zrozumiany i obdarzony zaufaniem oraz szacunkiem. Odważne, ale zarazem mądre wyrażanie swych myśli buduje Ci autorytet, urastasz w oczach współpartnerów. Czujesz się zadowolony, patrzysz z uśmiechem na innych. Kształtując ten nawyk pamiętaj, że musisz nauczyć się słuchać uważnie innych, a dopiero potem wyrażać swoje opinie.

To wymaga ogromnej cierpliwości, energii, koncentracji, bo ileż trudniej jest słuchać niż mówić. Poprzez trening możesz szybko zdobyć tę umiejętność.

Nawyk czwarty łączy się z piątym, bo jeśli chcesz osiągnąć nawyk współpracy, to potrzebna jest otwartość, zrozumienie. Jeśli lepiej zrozumiesz intencję, problemy, propozycje Twoich najbliższych, kolegów w pracy, przygodnych znajomych, tym wspanialej będzie układała się współpraca na każdej płaszczyźnie. Będzie ogólne zadowolenie, a tym samym obfite wyniki.

Kiedy słuchasz uważnie, zaspakajasz ludzką potrzebę rozmówcy. On chce być zrozumiany, oczekuje aprobaty, często pomocy, ciepłego słowa. Wiąże się to z dużą wartością, jaką jest godność człowieka.

Przyjrzyjmy się nawykowi szóstemu. Jest rodzina: matka, ojciec i trzech synów. Wszyscy bardzo się kochają. Ojciec cieszy się zainteresowaniami chłopców, którzy między innymi pasjonują się łowieniem ryb, przesiadywaniem nad brzegiem wody. Zaplanowali wspólnie wyjazd nad jezioro. Tuż przed wyjazdem otrzymują wiadomość, że matka żony potrzebuje pomocy. Jest poważnie chora. Mąż kocha swoją żonę, kocha jej matkę. Wie, jak ważne jest to spotkanie. Z drugiej strony nie chce, aby synowie czuli się zawiedzeni. Dominuje tu duch wzajemnego zrozumienia, szacunku dla innych. Przestudiował mapę. Poszukał rzeki w pobliżu miejsca zamieszkania teściowej. Chciał, aby dzieci czuły się szczęśliwe i radosne.

Spójrz, jak można wszystko ze sobą pogodzić, dać każdemu to, czego oczekuje, jeśli tylko chcemy współdziałać w rozwiązywaniu problemów.

Pomysły same przychodzą. Naucz się tylko słuchać, komunikować i używać twórczych zdolności.

Nawyk współdziałania w tworzeniu nowych pomysłów jest potrzebny na każdym kroku, zarówno w rodzinie, miejscu pracy, jak i wszędzie tam, gdzie się znajdujesz. Opanuj ten nawyk, a bardzo dużo zyskasz dla siebie.

Stosuj swoje twórcze zdolności, a wszystkie problemy będą szybko rozwiązywane i życie stanie się łatwiejsze, przyjemniejsze.

Nawyki przekonują nas o potrzebie pracy nad sobą, nad własnym charakterem, bo to wszystko jest drogą do sukcesu.

Czy zastanowiłeś się kiedyś choćby przez małą chwilę, co udało Ci się w Twoim życiu, co osiągnąłeś, jaki był, jaki jest Twój stosunek do otoczenia, do bliskich? Czy pomyślałeś, co zostawisz kiedyś po sobie, jak będą Cię ludzie wspominali.

Na taką analizę nigdy nie jest za późno. A tym bardziej na nadrobienie zaległości, ewentualnych braków. Wyobraź sobie, że masz tylko trzy lata życia przed sobą. Jak ten czas chcesz wypełnić, jak wykorzystać te lata?

Spróbuj wczuć się w poniżej przedstawioną scenkę. Uczestniczysz w przykrym obrzędzie. Jesteś na pogrzebie kogoś bliskiego, ale Ty wyobrażasz sobie, że to Twój pogrzeb, że to Ty leżysz na katafalku. Masz pełną świadomość, że za chwilę usłyszysz całą prawdę o sobie. Będzie mówił o Twoim życiu ktoś z rodziny, reprezentant zakładu, w którym pracowałeś, Twój najserdeczniejszy przyjaciel oraz przedstawiciel organiazacji społecznej, w której się udzielałeś.

Pomyśl, co chciałbyś o sobie usłyszeć. Spróbuj napisać o swojej przeszłości.

Jeżeli poważnie potraktujesz ten problem, zauważysz, że dotyczy on podstawowych wartości człowieka. Może odnajdziesz w tym momencie definicję sukcesu, która jest bardzo różna od tej, jaką miałeś dotychczas.

Może odkryjesz własną filozofię życia, swoje przekonania, a może odnajdziesz wielkie posłannictwo, z którego nie zdawałeś sobie sprawy?

A kiedy nauczysz się wyobrażać sobie siebie i opierać się na wewnętrznym sensie Twojej świadomości, odróżniać dobro od zła, to odczujesz najbardziej istotne zasady dotyczące Twojego życia.

Praca i to sumienna, nad przyswojeniem sobie omówionych dotychczas sześciu nawyków przyniesie Ci ogromne korzyści.

Przeanalizuj swój charakter i postaraj się wyeliminować z niego wszystko to, co jest złe, niedobre, niepotrzebne. Uczyń to przez ćwiczenia, pracę nad sobą, swoimi przyzwyczajeniami, a wkrótce dojrzysz owoce Twojego wysiłku, a w ślad za tym pełną satysfakcję.

Aby wszystkie poznane nawyki, mogły w Tobie sprawnie funkcjonować, nie możesz zapomnieć o własnej dobrej formie fizycznej, psychicznej i duchowej, która stanowi siódmy nawyk.

Nasuwa się stara, ale jakże mądra maksyma: "W zdrowym ciele, zdrowy duch".

Ćwiczenia fizyczne mają ogromne znaczenie dla zdrowia. Sugeruję ćwiczenia rozciągające, rozluźniające mięśnie oraz masaż mięśni. Kombinacja tych ćwiczeń poprawi krążenie krwi, dotleni płuca, mózg, poprawi samopoczucie. Dostarczy energii.

Systematyczne ćwiczenia doprowadzą Cię do nawyku, tak, że z biegiem czasu będziesz je wykonywał jako coś pożytecznego oraz przyjemnego i koniecznego.

Kiedy ciało Twoje jest coraz sprawniejsze, mięśnie silniejsze, kiedy więcej tlenu krąży we krwi, wówczas stajesz się energiczny, pełen zapału do działania, do pracy twórczej. Pojawi się zadowolenie, radość i chęć dzielenia się tym wszystkim z innymi. Podejmujesz decyzję. Jesteś pełen różnych pomysłów, inicjatyw. Czujesz się dobrze psychicznie. Czy to nie jest wspaniałe?

Nie podaję gotowych zestawów ćwiczeń, gdyż wydaje mi się to zbędne. Możesz sam dobierać sobie odpowiednie ćwiczenia i wykonywać je w domu i na świeżym powietrzu. Sugeruję, abyś uwzględnił w swych zestawach jazdę na rowerze, pływanie, bieganie, różnego rodzaju gry ruchowe, bowiem biorą w nich udział wszystkie mięśnie. Nie zapominaj uwzględnić zestawów ćwiczeń jogi.

Pamiętaj jednak, że we wszystkim musi być zachowany umiar.

65. CZY POTRAFISZ OKREŚLIĆ SWOJE ŻYCIOWE ROLE

Pełnimy w życiu przeróżne role, które w większości odnoszą się do realizowania obowiązków przyjętych na siebie.

Pełnimy zatem rolę w pracy, w rodzinie, w środowisku, w różnych dziedzinach życia. Role te stają się naturalną strukturą określającą, co mamy robić i kim być.

Możemy pełnić równocześnie kilka ról, np: żony, matki, kierownika placówki. Inne role pełnimy w domu, zupełnie inne w zakładzie pracy, a jeszcze inne z racji wykonywania i pełnienia funkcji społecznych.

Wszystkie role wymagają od Ciebie dużej odpowiedzialności, wiążą się z celami i nawykami.

Zdefiniuj sześć życiowych celów, ról, a następnie wpisz je poniżej. Przenieś się myślą w przyszłość i zapisz, jak chciałbyś się widzieć w specjalnej roli.

Przez zidentyfikowanie swoich ról życiowych zyskasz perspektywę i równowagę. Przez zapisanie swoich ról lepiej wyobrazisz sobie swoje "Ja", a także zauważysz podstawowe zasady i wartości, według których pragniesz żyć i działać.

	ROLA	JAK CHCESZ BYĆ OKREŚLANY W TYCH ROLACH
1		
2		
3		
4		
5		
6		

Kiedy zdefiniowałeś swoje życiowe role i określiłeś, kim pragniesz być i co robić, jesteś przygotowany do tego, aby zacząć pracę nad swoją osobistą misją. Wpisz zatem, co deklarujesz w celu rozwijania swojej osobowości, stosując ten sam sposób jak poprzednio. Noś te notatki ze sobą, wpisuj poszczególne cele, uaktualniaj je.

1. ....
2. ....
3. ....

Deklaracja Twoich celów musi być zawsze aktualna. Trzeba ją przeglądać, korygować. Musi być zgodna z Twoim bieżącym rozwojem i w harmonii z najistotniejszą częścią Twej natury.

Często zadawaj sobie pytania:

Czy moja deklaracja jest oparta na ponadczasowych wypróbowanych zasadach? Jakie one są?

1. ....
2. ....
3. ....

Czy jestem przekonany o tym, że reprezentuję rzeczywiście to, co jest we mnie najlepsze?

1. ....
2. ....
3. ....

Czy czuję właściwy kierunek, motywację i wyzwanie do postawionych celów?

1. ....
2. ....
3. ....

Czy mam świadomość tego, który sposób postępowania jest właściwy w dążeniu do celu?

1. ....
2. ....
3. ....

Co muszę zrobić dzisiaj, aby znaleźć się jutro tam, gdzie chcę?

1. ....
2. ....
3. ....

Końcowym testem wartości i efektywności mojej deklaracji jest pytanie: Czy deklaracja ta inspiruje mnie do działania?

1. ....

2 ....

3. ....

Wstępny szkic takiej deklaracji powinieneś przechowywać przez około rok. Zaglądaj do niego, nanoś poprawki. Kiedy dopracujesz się już stałego zapisu, zerkaj nań dość często, abyś go zapamiętał, jasno widział i miał go stale przed oczami, jak o wizję i wartość.

Kiedy masz wstępny szkic swoich celów, nadszedł czas aby wprowadzać go w życie na bazie wartości, tak by stały się częścią naszych nawyków. Stosuj "kartę tygodniowych zapisów" według wskazówek:

1. Zapisz role i cele na cały tydzień.

2. Zdefiniuj główne cele. Dla każdej wyszczególnionej roli zapisz jedną, dwie lub trzy podstawowe role, na których pragniesz się skoncentrować i osiągnąć je w zakresie tygodnia.

3. Dokonaj przydziału czasu na realizację. Przygotuj faktyczny harmonogram z określoną ilością czasu na antycypowanie głównych czynności. Wpisz w odpowiednie rubryki.

4. Określ i zaplanuj czas dla siebie, na Twoje fizyczne, mentalne, duchowe, towarzyskie, emocjonalne czynności, które będą utrzymywały Twoje życie w równowadze.

5. Koniecznie kontroluj swój kalendarz. Oceniaj uprzednio omówione spotkania i zobowiązania w stosunku do własnych zdefiniowanych głównych ról. Staraj się rozróżnić rzeczy ważne i pilne od innych. Planuj swój czas.

6. Żyj zgodnie z planem. Masz już zaplanowany kalendarz działań na cały tydzień, a więc możesz zaczynać pracę. Pamiętaj, że założenia planu muszą być kontrolowane. Istotne są korekty, jeżeli jest taka potrzeba. Musisz być elastyczny. Chodzi tu o końcowy efekt, o jego skuteczność.

Przy realizacji ról i zamierzonych zadań, daj pierwszeństwo temu, co jest na początku listy. Pozwoli Ci to na kierowanie własnym życiem, nie uleganie chwilowym nastrojom czy pokusom, które mogą zakłócić realizację głównych celów.

Pilnowanie wykonana zadań zaplanowamych na cały tydzień ograniczy liczbę kryzysów w Twoim życiu i będzie prowadziło do wzmożonej efektywności i produktywności.

W ten sposób zdobędziesz panowanie nad swoim losem, będziesz panem swojej woli. Nie pozwolisz nikomu zmienić tego, co jest naprawdę autentycznie zgodne z Twoimi życiowymi zamierzeniami i dążeniami.

66. MOJE ŻYCIOWE POSŁANNICTWO

Życie może być autentycznie piękne. Jego sens i barwa zależy od nas.

My je budujemy i tworzymy, dlatego musisz się skoncentrować na tym, co robisz najlepiej, co możesz dać dobrego z siebie, czym możesz podzielić się z innymi, co ofiarować bliskim.

Skupię się zatem i poszukam zrozumienia, aby lepiej poznać siebie, a następnie innych. Zrozumienie odgrywa tu istotną rolę. Ono określa właściwą hierarchię wartości, której podstawą jest szacunek, trafnie podejmowane decyzje i twórcze działanie.

Pierwsze celowe działanie skieruję na najbliższych: rodzinę, przyjaciół, a następnie na zakład, w którym pracuję.

Mając świadomość siły dobra i miłości pragnę pomagać i wpływać na przyszły rozwój ludzi i organizacji, z którymi jestem związany.

Pragnę przekazać moim dzieciom, przyjaciołom, ludziom, z którymi styka mnie los, wielką siłę miłości. Chcę nauczyć ich radości z codziennego życia, promiennego, szczerego uśmiechu, umiejętności pokonywania różnych ograniczeń i barier, które często pojawiają się i przysparzają wielu trosk.

Będę budował osobiste, zawodowe i społeczne stosunki, pomocne innym i ofiarowywał swoje usługi wszędzie tam, gdzie będą one potrzebne.

Patrzę na każdy nowy dzień jak na czystą tablicę, na nową szansę, na której mogę oprzeć i realizować scenariusz moich możliwości i zdobywać osiągnięcia.

Doceniam swoje dotychczasowe doświadczenia i staram się wynieść z nich odpowiednie nauki dla dalszego życia. W moich codziennych zmaganiach nie mogę unikać zarówno ryzyka, jak odpowiedzialności. Muszę być odważny. Nie mogę lękać się porażek. Powinienem wykorzystywać wszystkie te możliwości i okazje, które wzbogacają mnie o nowe doznania i doświadczenia.

Jestem w pełni odpowiedzialnym małżonkiem i rodzicem. Tym rolom daję pierwszeństwo. Są one dla mnie najważniejsze. Cenię w ludziach różnorodność, a tolerancję uważam za swą siłę. Staram się budować życzliwe, serdeczne, partnerskie stosunki z moją rodziną, przyjaciółmi i kolegami w pracy.

Aby utrzymać zdrowe stosunki i wysoki poziom zaufania, składam co dzień depozyt na emocjonalnych kontach bankowych innych ludzi, czyli udzielam im bezgranicznego zaufania.

Podczas wykonywania mojego zawodu, jestem w pełni odpowiedzialny za wyniki pracy. Działam z odwagą, rozmysłem i dyskrecją. Niech moja praca mówi za mnie, poprzez efekty i osiągnięcia. Kiedy planuję swoje dni i tygodnie, skupiam się na kluczowych rolach i celach, ale tak, aby zachować odpowiednią równowagę i właściwe proporcje moich działań. Powinienem równocześnie dostrzegać perspektywiczne rozwiązania tego, do czego zmierzam. Muszę być zaangażowany i oddany temu, co robię, bo tylko wówczas osiągnę dobre samopoczucie i komfort psychiczny. Swoje plany życiowe staram się wykonywać jak najlepiej i zapisywać je w osobistym "dzienniczku", łącznie z opisem własnych uczuć.

Bardzo cenię osobistą wolność, wolność wyboru i prawo korzystania z tej wolności. Jestem bardziej produktem moich decyzji i wyborów niż tzw. obiektywnych warunków. Nie dopuszczam, by okoliczności lub dawne uwarunkowania ograniczały moje zachowania, a także cele, przed jakimi staję.

Koncentruję się tylko na działaniach pozytywnych, wpływających na rozwój spraw i rzeczy w sposób twórczy i konsekwentny. Redukuję obawy i własne lęki.

67. MOJE OSOBISTE POSŁANNICTWO

Aby uporządkować i ukierunkować swoje życie, dobrze jest zadeklarować w formie pisemnej to, co chcemy robić, do czego dążyć i według jakich wskazówek postępować. Taka deklaracja jest zarówno odkrywcza, jak twórcza.

Nie spiesz się ani nie ustalaj sztywnych ram terminowych dla siebie. Posuwaj się na przód powoli. Zadawaj sobie właściwe pytania i głęboko zastanawiaj się nad swoimi wartościami i aspiracjami.

Osobista deklaracja i identyfikacja z Twoim osobistym ideałem mogą Ci być pomocne przy realizacji własnego posłannictwa. Przy przyjmowaniu określonych ról życiowych (rodzica, męża, ojca, matki, żony, córki, syna).

68. OSOBISTA DEKLARACJA.

Deklaracja taka powinna zawierać dwa elementy. Po pierwsze, trzeba uświadomić sobie, co pragniesz robić, co chcesz osiągnąć i jaki ma być w tym Twój wkład osobisty. Po drugie, kim chcesz być, jaką siłą charakteru chcesz dysponować, jakie cechy chcesz w sobie rozwijać.

Zdefiniuj, kim pragniesz być i co robić.

Odpowiedz na pytania:

Co chcę robić?

Kim chcę być?

Co chcę posiadać?

Identyfikacja z Twoim ideałem.

Zastanów się, kto z Twojego otoczenia ma na Ciebie największy wpływ, kto zaważył na Twoich życiowych decyzjach, kto kierował Twoim rozwojem. Może to ktoś z najbliższej rodziny, przyjaciel czy sąsiad. Odpowiedz na poniższe pytania, mając na myśli swoje osobiste cele.

1) Kto należał do najbardziej wpływowych osób w moim życiu?

2) Które z jego cech i przymiotów podziwiam najbardziej?

3) Które cechy przyjąłem od tej osoby i kontynuuję w swoim życiu?

Poprzez odpowiedzi na powyższe pytania uzyskasz cenne informacje dotyczące tego, co jest i co może być najbardziej dla Ciebie istotne w planowaniu przyszłości, z udziałem świadomości wyborów. Będziesz mógł dokonywać selekcji tego, co dla Ciebie dobre, a co złe. Wszystkie dobre elementy będziesz mógł wprowadzić z pełną koncentracją w życie, bogacąc je w ten sposób. Przystąpisz aktywnie do realizacji tego, co najważniejsze, z pominięciem rzeczy nieistotnych, bowiem rzeczy o najwyższym znaczeniu nie mogą być na łasce rzeczy, które znaczą mniej.

W swoim posłannictwie musisz być odpowiedzialny za losy najbliższych. Dobro Twoje i najbliższych Ci osób będą stanowiły rezultat pracy, jaką w to włożysz.

69. POSŁANNICTWO RODZINY

Celem naszej rodziny jest stworzenie domu, w którym każdy jej członek będzie mógł swobodnie rozwijać własną osobowość i realizować życiowe cele, gdzie znajdzie dobro, akceptację, miłość i szacunek.

Musimy:

Kochać się wzajemnie.

Pomagać sobie w trudnych sytuacjach.

Wierzyć i ufać sobie wzajemnie.

Mądrze gospodarować czasem, swoimi talentami i środkami.

Mój dom będzie miejscem, gdzie moja rodzina, przyjaciele, goście znajdą komfort, spokój i szczęście. Będę dążyć do tego, by stworzyć schludne i uporządkowane środowisko, wygodne w codziennym życiu.

Będę dbał o prawidłowy dobór programów telewizyjnych, ciekawych lektur, umiejętnego spędzania wolnego czasu. Postaram się, aby rodzina miała właściwe odżywianie. Będę trafnie dokonywał przydziału różnych zajęć i obowiązków, aby wszyscy domownicy czuli się w pełni dowartościowani i współodpowiedzialni za atmosferę panującą w domu.

Szczególną uwagę będę zwracał na to, aby nauczyć dzieci miłości, radości, sumiennej pracy i szacunku do bliźnich, a przede wszystkim do siebie.

Nie wolno zapomnieć mi o rozwijaniu indywidualnych zainteresowań i uzdolnień moich dzieci.

Sądzę, że kiedy przeanalizujemy nasze posłannictwo w rodzinie, stwierdzimy, że pełną harmonię szczęścia można osiągnąć, jeśli konkretnie sprecyzujemy sobie nasze role, cele i będziemy je konsekwentnie wypełniali.

Materiał, który przedstawiłem, na pewno będzie w tym, bardzo przydatny.

70. INSTRUKCJA POSTĘPOWANIA PRZY TWORZENIU "TYGODNIOWEJ KARTY ZAPISU MOICH ZAMIERZEŃ"

1. Nanieś swoje role życiowe na kartę.
2. Zapisz główne cele przy każdej z ról, które planujesz osiągnąć w danym dniu tygodnia.
3. Określ potrzebny czas na zamierzone działania.
4. Zaznacz wszystkie wcześniej zaplanowane wizyty, spotkania, zebrania, telefony, rozrywki, itd.
5. Zaplanuj czas na własne doskonalenie się.
6. Ściśle przestrzegaj tego, co zaplanowałeś.

PRZYKŁAD TYGODNIOWEGO ZAPISU:

Role	Cele	Tydzień	Pn.	Wt.	Śr.	Cz.	Pt.	So.	Nd.
Mąż	1. Urodziny żony 2. Naprawić światło 3. Zakup mebli.	XI 2 - 8	X	X					X
Ojciec	1. Wywiadówka 2. Pomoc w odrabianiu lekcji 3. Zabawy	XI 2 - 8	X	X	X	X	X		
Kierownik	1. Podwyższanie kwalifikacji 2. Szkolenie pracowników	XI 2 - 8			X	X		X	
Członek klubu	1. Napisać protokół 2. Zbiórka pieniędzy na dzieci kalekie	XI 2 - 8					X		X
Zaplanowane wizyty, telefony, spotkania, zebrania, rozrywki...		XI 2 - 8						D.	
Doskonalenie się: Fizyczne Umysłowe Duchowe Emocjonalne Społeczne		XI 2 - 8	X TV	X	X	X	X	X	X

W doskonaleniu:

1. Fizycznym - należy wziąć pod uwagę: ćwiczenia ciała, odżywianie, opanowanie stresów, przebywanie na świeżym powietrzu, kontakt z naturą, odpoczynek, relaks, higienę osobistą.

2. Umysłowym - należy uwzględnić czytanie, pogłębianie wiedzy, ćwiczenie wyobraźni, doskonalenie zawodowe, rozwijanie osobowości.

3. Duchowym - należy wziąć pod uwagę: rozwijanie wartości swych przekonań, kształcenie cech charakteru, kontakt ze sztuką, stosunek do ludzi.

4. Emocjonalno-społecznym - należy uwzględnić: panowanie nad swoimi reakcjami, odruchami, poczucie bezpieczeństwa, życzliwość, uśmiech, uwalnianie się od lęku.

71. TYGODNIOWA KARTA ZAPISU MOICH ZAMIERZEŃ

Role Cele	Tydzień	Pn.	Wt.	Śr.	Cz.	Pt.	So.	Nd.
	Najważniejsze spotkania, działania, zobowiązania... z podaniem terminu.							
Zaplanowane wizyty, telefony, spotkania, zebrania, rozrywki...								
Doskonalenie się: Fizyczne Umysłowe Duchowe Emocjonalne Społeczne								

72. SYSTEM ZASAD POMOCNY W OSIĄGANIU CELÓW

System ten został opracowany w tym celu, aby poprzez przykłady i ćwiczenia pomóc zrozumieć sens kierowania i przewodzenia samemu sobie. Osobiste przywództwo nie jest odosobnionym, pojedynczym przeżyciem, lecz jest to proces ciągły, wzbogacający i rozjaśniający naszą wizję życia o nowe wartości, tak aby były one zgodne z ponadczasowymi zasadami.

Jedną z najskuteczniejszych metod na przeżywanie w pełnej koncentracji tego, co się dzieje, a opartą na prawdzie jest "System zasad". W nim zawarte są możliwości osobiste każdego z nas. Co zyskujemy poprzez wypełnienie takiej karty? A więc:

1. Zapisanie "Systemu zasad" zmusza do głębszego zastanowienia się nad swoim życiem, nad samym sobą. Motywuje do rozszerzenia perspektyw, i kontrolowania najskrytszych uczuć i myśli. Przez ten proces wyjaśniamy sobie cel naszego życia i identyfikujemy to, co jest dla nas naprawdę ważne i istotne.

2. Zapis ten zmusza do jasnego precyzowania i wyrażania posiadanych wartości i aspiracji.

3. Zaspis w "Systemie zasad" zostawia w umyśle mocny ślad, dzięki czemu nasze myśli są zwarte, stają się częścią naszego programu życiowego, a nie tylko nieartykułowanymi przelotnymi wyrażeniami.

4. Włączenie do "Systemu zasad" cotygodniowych planów działania daje nam istotne narzędzie do tego, aby zaplanowaną wizję zamierzeń mieć stale przed oczami.

Proponuję następujące działanie przy tworzeniu "Systemu zasad".

1. Wypełnij arkusz zakresu siedmiu nawyków (str. 135 - 136)

2. Podlicz i oceń swój charakter wprowadzając wyniki do "Karty doskonalenia efektywności siedmiu nawyków". (str. 137)

3. Przeczytaj przykłady "Systemu zasad". (str. 145 - 151)

4. Stwórz projekt własnego wzoru dla twojego "Systemu zasad".

5. Na koniec przenieś wszystkie swoje cele, zamierzenia i role na tygodniowe arkusze, postępując zgodnie z instrukcją. (str. 152 - 154)

Wierzę, że to przyniesie Ci pozytywne doświadczenia w zakresie twórczego działania, w którym nieustannie będziemy wzbogacali swoje doświadczenia życiowe.

VI. GNIEW I PRZEBACZANIE

" Niech zniknie spośród Was wszelka
gorycz, uniesienie, gniew, wrzaskliwość,
znieważanie - wraz z wszelką złością.
   Bądźcie dla siebie nawzajem dobrzy i
miłosierni. Przebaczajcie sobie, tak jak i
Bóg Wam przebaczył w Chrystusie."
Ef (4, 31;32)

73. CZY WARTO POPADAĆ W GNIEW?

Życie człowieka jest nieustanną walką, pełną napięć, stresów.
Znajdujemy się w różnych sytuacjach, spotykamy się z
rozmaitymi reakcjami ludzi, które budzą w nas gniew.
   Gniew powstaje w wyniku braku kontroli nad własnym
zachowaniem, nad reakcjami naszego systemu nerwowego. Jeśli
jesteś w szale gniewu tylko przez pięć minut, to Twój system
może zużyć tyle energii, ile normalnie potrzeba nam na cały
ośmiogodzinny dzień pracy. Kontynuując gniew przez czynne
wyrażanie myśli i działań produkujemy całą gamę różnych
chorób. Choroby te to podrażnienie skóry, uczulenia,
podniesienie ciśnienia krwi, kłopoty w pracy serca, wrzody
żołądka, a nawet rak. Do tego dochodzą konflikty, długotrwałe
nieporozumienia prowadzące nawet do nienawiści i wrogości.
   John Webster mówił: "Nie ma w przyrodzie niczego, co
bardziej deformuje człowieka, niż gniew".
   Wiele osób próbuje zataić swój gniew, usiłuje skierować go do
wnętrza organizmu. Jest to bardzo niebezpieczne. Stajemy się
wówczas przygnębieni, popadamy w depresje, a nawet możemy
stać się podatni na myśli samobójcze.
   W naszym codziennym życiu mamy do czynienia z setkami
sytuacji, które wyzwalają w nas gniew.
   Ludzie ukrywają często swój gniew w obawie przed utratą
przyjaźni lub miłości.
   Często oburzamy się, irytujemy, mówimy, że mamy
wszystkiego dosyć. Jest to też pewien rodzaj gniewu.

Gniew ma różne nasilenia, które związane są z temperamentem a także w danej chwili z bodźcami działającymi z zewnątrz.

Zaobserwuj twarze ludzi, z którymi się spotykasz w różnych miejscach i sytuacjach. Ileż z nich można wyczytać! Jedne pogodne, uśmiechnięte inne smutne, zamyślone, ale są i takie, które mogą lada moment eksplodować.

Gniew można opanować poprzez czuwanie nad własnymi reakcjami. Musisz najpierw odszukać przyczyny tego gniewu. Mogą nimi być, między innymi niewłaściwe odżywianie, zły dobór produktów.

Wielu naukowców stwierdziło, że dzieci ze zmiennym temperamentem można szybko uspokoić, kiedy przestanie się im dawać słodycze, hamburgery, przetwory z wyjałowionych mąk, z nadmierną zawartością cukru, soli i chemikalii..

Jeśli takie produkty mają wpływ na zachowanie dzieci, to również i na ludzi dorosłych.

Jeżeli podejrzewasz, że spożywane pokarmy mają na Ciebie ujemny wpływ, zamień je na produkty ze sklepów z żywnością produkowaną na naturalnych składnikach i dowiedz się przy okazji, jaki one będą miały wpływ na Ciebie.

Na naszą nadpobudliwość może mieć wpływ spożywany alkohol (zawartość cukru i chemikalii), a także kofeina w kawie, napojach sodowych oraz teina w herbacie. Składniki te mogą działać niekorzystnie na twoje myślenie, reakcje, nastawienia. Możesz mieć ograniczoną kontrolę nad tym, co robisz.

Emocjonalne usposobienie człowieka, często wojownicze nastawienie do otoczenia, to wynik braku panowania nad zdarzeniami dnia codziennego. Nie umiemy odpowiednio reagować na zewnętrzne bodźce, nie potrafimy wybiórczo patrzeć i odbierać tego, co do nas dociera.

Bywa i tak, że posiadamy nadmiar energii, i jeśli nie wykorzystamy jej do pracy fizycznej, ćwiczeń czy nawet w życiu seksualnym, to skierujemy ją na otoczenie w postaci silnie negatywnych działań emocjonalnych. Najdrobniejsza sprawa może stać się przyczyną eksplozji gniewu, a nawet wywołać wrogość i agresję.

Często lokujemy nasz gniew w niewłaściwym miejscu i nie z tego powodu, o którym myślimy.

Angielski mąż stanu i historyk, hrabia Clarendon mówił: "Gniew bardziej rani tego, kto go odczuwa, niż tego, przeciw komu jest skierowany".

Wypróbowaną i bardzo skuteczną metodą w leczeniu zmian chorobowych, wynikających z napięć nerwowych, jest odprężenie. Musisz przemawiać do własnego ciała, aby się odprężyło.

Zaczynamy od czubka głowy i wolno przekazując polecenia przechodzimy przez całe nasze ciało. Po takich ćwiczeniach nasz umysł i cały organizm jest wyciszony. Jeśli będziesz systematycznie stosował tę metodę, to pozwoli Ci ona odciąć się od wszelkich napięć w największej sytuacji stresowej.

Spróbuj w tej chwili, teraz, zaraz, zamknąć oczy. Pozwól Twojej pamięci przywołać sytuację ostatnio zaistniałą, kiedy zostałeś wytrącony z równowagi.

Przeżyj to jeszcze raz, dokładnie, tak jak było. Odczuwaj gniew. Kontroluj swój oddech i puls. Czy wyczuwasz zmianę?

Doświadczaj wzrastania gniewu. Co zauważyłeś? Powstał gniew, ale czy ktoś go spowodował? To Ty sam, bez niczyjej pomocy wywołałeś w sobie gniew. Co rzeczywiście wywołało taką silną reakcję emocjonalną, co jest powodem Twoich niekontrolowanych emocji i uczuć?

Odkryjesz, że jest to Twoje przekonanie i sposób myślenia. To można zmienić.

"Człowieka nie rani tak bardzo to, co mu się zdarza, jak to, co on o tym zdarzeniu sądzi." - tak pisał francuski filozof Montaigne.

Nie wyolbrzymiaj drobiazgów. Uraza nie dotyka tego, przeciw komu jest skierowana lecz wyłącznie Ciebie.

Jeśli pragniesz pozbyć się gniewu, to nabierz przez nos powietrze "głęboki wdech" i dokonaj pełnego wydechu ustami. Razem z wypuszczanym powietrzem wydalaj gniew. Wczuj się w spokojną muzykę lub szum oceanu i odczuwaj, jak gniew opuszcza Cię, a Ty uwalniasz się od niego.

Twoj gniew to jak piosenka, którą słyszymy, ale ona mija, odchodzi, przebrzmi. Zostają tylko po niej zakodowane słowa lub melodia.

Gniew musi przeminąć, nie możesz być więźniem swoich lęków, nastawień psychicznych czy nawet kłoptów.

Gniew niszczy Twój spokój wewnętrzny, Twoje szczęście, miłość, cele, do których podążasz. Przynosi szkody Twojemu zdrowiu i całemu systemowi nerwowemu. Powoduje, że stajesz się przykry dla otoczenia.

74. DLACZEGO MUSIMY PRZEBACZAĆ?

Droga do mądrości i wyzwolenia nie zawsze jest usłana kwiatami. Szczególną przeszkodą na niej bywa gniew.

Czy jesteś na kogoś zagniewany? A może w tej chwili przychodzi Ci na myśl imię osoby, której powinieneś przebaczyć?

Miłość jest najwyższą formą świadomości, która pozwala nam wznosić się ponad codzienne problemy. Miłość jest przebaczaniem, siłą, mocą i energią, która leczy wszystkie rany psychiczne i fizyczne.

Przebaczanie jest najwspanialszym aktem ludzkiego sumienia. Jest żywym wyrazem duchowej natury człowieka, gotowością do zachowania pewnych postaw, do poruszania się do przodu, do przyjęcia odpowiedzialności za swoje postępowanie. Przebaczenie daje lepsze samopoczucie i zmniejsza cierpienia.

Przebaczać to znaczy ustąpić, zaniechać, zapomnieć.

Przebaczanie jest przyjemnym i żywotnym wewnętrznym przeżyciem, które ułatwia rezygnację z negatywnych uczuć.

Spójrz, jaką wielką moc ma ono. Przebaczanie:
- wymazuje błędy, skazy i plamy, które próbują niszczyć Twoje szczęście
- pozostawia Twoje konto czyste, dając Ci nową szansę
- otwiera drzwi do radości i absolutnej wolności
- czyni słabego silnym, a potulnego odważnym
- odblokowuje wszystko, co stoi między Tobą, a Twoim największym dobrem.

Uczymy się przebaczać innym, przebaczając sobie. Jeśli podsycamy złe myśli przeciwko drugiemu, to przygotowujemy dla siebie truciznę. Ostrze nienawiści skieruje się przeciwko Tobie, bowiem "miecz nienawiści" jest obosieczny. Może zdarzyć się, że nie potrafisz, mimo szczerych chęci przebaczyć. Przyczyną tego jest zapewne, zakodowany w twojej podświadomości jeszcze inny pokrewny incydent, związany z tą samą osobą lub sytuacją, z którego nie zdajesz sobie sprawy.

On Cię blokuje. Zapytaj siebie: Czy istnieje coś, co przeszkadza mi w moim procesie przebaczenia?

Na pewno natychmiast odnajdziesz przyczynę. Wówczas już bez większych trudności uda Ci się dokonać aktu przebaczenia.

Bardzo trudno jest przebaczać innym, jak również sobie. Pragniesz jednak, aby Tobie przebaczano. Dlatego i Ty musisz czynić to samo.

Absolutne, całkowite przebaczenie jest prawdziwym cudem. William James, świetny psycholog wykładowca Uniwersytetu Harvard, powiedział: "Każdy kto nauczy się przebaczać innym i sobie, osiągnie szczyt religijnej miłości, spokoju i radości".

Całkowite przebaczenie jest pierwszym warunkiem przeżycia religijnego.

Przebaczenie da Ci radość, wewnętrzny spokój i zadowolenie. Nienawiść zaś będzie niszczyła Twoją osobowość i hamowała harmonijny rozwój.

Jakże wymowne i pełne mądrości są słowa zawarte w modlitwie Świętego Franciszka z Asyżu.

MODLITWA CZŁOWIEKA PROSTEGO.

O Panie,

Uczyń z nas narzędzia Twego pokoju,

Abyśmy siali miłość tam,

Gdzie panuje nienawiść;

wybaczenie, tam gdzie panuje krzywda;

jedność, tam gdzie panuje zwątpienie;

nadzieję, tam gdzie panuje rozpacz;

światło, tam gdzie panuje mrok;

radość, tam gdzie panuje smutek.

Spraw, abyśmy mogli

nie tyle szukać pociechy, co pociechę dawać;

nie tyle szukać zrozumienia, co rozumieć;

nie tyle szukać miłości, co kochać;

albowiem dając - otrzymujemy,

wybaczając - zyskujemy przebaczenie,

a umierając, rodzimy się do wiecznego życia,

przez Jezusa Chrystusa, Pana naszego.

75. HIPNOZA I SAMOHIPNOZA.

Zanim przejdziemy do ćwiczeń, chciałbym przypomnieć bardzo krótko na czym polega hipnoza i jakie osiągamy korzyści przez poddawanie się jej.

Hipnoza jest to stan, w którym uwaga skoncentrowana jest na przekonaniu połączonym z silną wiarą. Polecenia, jakie są kierowane podczas hipnozy, muszą być jednoczesne i jasne, nigdy sprzeczne albo budzące niepokój. Podstawą całego procesu jest koncentracja, przekonanie, wiara, rozluźnianie całego organizmu, pełny relaks, wprowadzenie do świadomości nowych przekonań i wyeliminowanie dawnych, które obciążają umysł. Hipnoza jest pewnego rodzaju ćwiczeniem w osiąganiu zdolności do zmiany zbędnych przeświadczeń.

Podczas hipnozy musisz mieć silnie skupioną uwagę na poleceniach. Koncentracja podświadomie pobudza mechanizmy tkwiące w Tobie. Musisz pamiętać wówczas, że Ty tworzysz swoją rzeczywistość i obecna chwila koncentruje Twoją siłę. Kiedy skupiasz całą mocą swą uwagę na przekonaniach - wierze, to odrzucasz wszystko, co jest zbędne, bezwartościowe dla Ciebie. Pomóc Ci w tym może całkowite rozluźnienie, relaks. Twój umysł będzie wtedy wyciszony, a sygnały przekazywane przez niego organizmowi, znacznie ograniczone.

Stosując samohipnozę osiągasz bardzo wiele. przede wszystkim będziesz czuł się cudownie. Świeżość i radość połączone z odrzuceniem negatywnych myśli, a przyjęcie nowych pozytywnych treści, będą w Tobie po takich ćwiczeniach dominowały.

Hipnozę, samohipnozę możemy stosować w różnych celach, np: dla poprawienia stanu zdrowia, dla wyeliminowania urojeń, lęków, stresów, do zlikwidowania złych nawyków, itp.

Wykorzystanie umysłu do świadomego kontrolowania ciała nie jest sprawą nową. Bowiem przez wieki uprawiają to wschodni jogowie i filozofowie.

Kiedy kontrolujesz swoje myśli i koncentrujesz się na jakimś problemie, który jest w danej chwili najważniejszy dla Ciebie, możesz ewidentnie wpływać na reakcję swojego organizmu, między innymi na ciśnienie krwi, bicie serca, zmniejszenie napięcia w mięśniach.

Wiele odczuwalnych dolegliwości i stanów bierze swój początek w psychice człowieka.

76. TEKST POMOCNICZY W PRZEBACZANIU I UZDRAWIANIU Z GNIEWU

Bardzo pomocne w eliminowaniu gniewu i dokonywaniu przebaczenia są ćwiczenia oparte na samohipnozie.

Przynoszą one rezultaty wówczas, jeśli są systematycznie stosowane.

Przed przystąpieniem do ćwiczeń pomocne będzie nagranie poniższego tekstu na taśmę magnetofonową.

Proszę usiąść lub położyć się, rozluźnić sią zupełnie. Jeśli zdecydujesz się na wysłuchanie tego leżąc w łóżku, szybko zapadniesz w głęboki uspakajający sen, w czasie którego podświadomość będzie przekazywała Ci to nagranie. Będą dokonywały się prawidłowe zmiany i nastąpi odnowa w Twoim życiu.

Zrób głęboki wdech przez nos. Zatrzymaj powietrze przez czas liczenia w myślach do dziesięciu. Bardzo wolno wypuść powietrze ustami. Odszukaj gniew, który jest w Tobie. Wszystek ten gniew zbierz i zamknij w prawej dłoni.

Ponownie zrób głęboki wdech przez nos, zatrzymaj powietrze, otwórz dłoń i wypuść gniew, równocześnie robiąc wolno wdech przez usta.

Odczuwaj ulatniające się uczucie gniewu i napływ świeżości, wypoczynku i rozluźnienia.

Teraz zbierz wszystek gniew i zaciśnij go w lewej dłoni.

Wciągnij powietrze nosem, zatrzymaj. Wypuść gniew z dłoni.

Otwórz usta i wydychaj zatrzymane powietrz. Odpocznij i rozluźnij się.

A teraz w dłoni swej ulokuj wszystkie uczucia zazdrości, jakie nagromadziły się w Twoim systemie. Mocno je zaciśnij.

Wciągnij nosem powietrze, zatrzymaj je, zatrzymaj przez chwilę.

Otwórz dłoń, uwolnij zazdrość. Otwórz usta i wypuść powietrze.

Czujesz się coraz bardziej rozluźniony.

Jeszcze raz zaciśnij mocno dłoń, ale tym razem zamknij w niej wszystkie swoje lęki, jakie nagromadziły się w Twoim ciele i umyśle. Wdychaj przez nos powietrze, zatrzymaj je, otwórz dłoń i pozwól odpłynąć wszystkim lękom. Wypuść powoli ustami powietrze. Czujesz się wolny, rozluźniony, spokojny. Pogrążaj się w kojącym rozluźnieniu.

A teraz wyobraź sobie, że jesteś na łonie natury. Jest piękny dzień. Słońce wysyła do Ciebie ciepłe promienie. Niebo jest błękitne. Chmurki wolno przesuwają się po nim. Ciepły łagodny wietrzyk pieści Twoje ciało. Odczuwasz i dostrzegasz ciepłe światło słońca, które spowiło cię całego. Utworzyło słoneczny kokon wokół Ciebie.

Czujesz się w nim bardzo dobrze. Jest Ci ciepło. Jesteś bezpieczny, spokojny i bardzo wypoczęty. Weź światło słońca i skieruj je na swoje prawe ramię. Przesuwaj je od czubków palców do ramienia. Rób to powoli, bardzo wolno. Przesuwaj to światło do góry i w dół, tam i spowrotem. Ramię Twoje staje się lekkie, wypoczęte. Ty zaś cały stajesz się odprężony, z każdym momentem czujesz większe rozluźnienie.

Przesuń światło szybko, ale bez wysiłku do lewego ramienia.

Przemieszczaj je od palców do ramienia i na powrót w dół. Rób to kilka razy. Czujesz się odprężony coraz bardziej i coraz bardziej.

Przesuń światło słoneczne do Twej prawej nogi i przemieszczaj je od palców do biodra. Teraz w dół i znów w górę. I jeszcze raz ten sam ruch. Twoja prawa noga czuje się rozluźniona. Oddychaj rytmicznie i spokojnie. Zwiększa się w Tobie uczucie łagodności, miłości, spokoju.

Przenieś światło słońca do Twej lewej nogi i przesuwaj je tam i na powrót, od palców stóp do biodra, do biodra do palców. Zapadasz się w coraz bardziej błogi stan odprężenia.

Przenieś teraz promienie słońca do wnętrza Twego ciała, do żołądka. Czujesz ciepłe promieniowanie. Każda komórka ciała reaguje na światło słoneczne. Rozluźniasz się, coraz bardziej i bardziej.

Przesuń światło słońca do swej piersi do swego serca. Czujesz, jak wypełnia ono Twoje serce i całe ciało swym ciepłem.

Światło słoneczne jest tęczą kolorów, w której dominują róż, niebieski i żółty.

Kolor różowy - oznacza miłość. Całe Twoje ciało kąpie się w tym świetle. Czujesz się doskonale. Pragniesz tego światła.

Kolor niebieski - oznacza siłę. Cały jesteś skąpany w sile niebieskiego światła.

Kolor żółty - oznacza mądrość. Jesteś mądry. Cały toniesz w tym świetle. Odczuwasz ciepło rozkoszy.

Przenieś teraz światło słowa do Twego ciała, przesuń je wzdłuż kręgosłupa, aż do kości ogonowej. Doświadczaj przesuwania się światła do każdego nerwu w Twym ciele. Czujesz, jak Twój system nerwowy rozluźnia się. Jesteś spokojny, odprężony. czujesz rozlewające się ciepło światła.

Jeśli w przeszłości któryś z twoich systemów lub jakikolwiek organ nie funkcjonował należycie, to powiedz teraz do siebie, że wszystkie organy i systemy Twego ciała pracują w pełnej harmonii i spokoju, że znajdujesz się w pełnym odprężeniu i rozluźnieniu. Doświadczasz tego wszystkiego w swoim umyśle, w swej wyobraźni. Odczuwasz ciepły powiew wiatru, muskają Cię promienie słońca.

Te małe doświadczenia z przeszłości, które wyprowadzały Cię z równowagi zostały opanowane. Nauczyłeś się je odrzucać, po to, aby czuć się w życiu szczęśliwym, by wszystko wokół cCebie błynęło łagodnie i spokojnie.

Rozluźnij swój umysł, odczuwaj go opływającym w świetle słonecznym. Odprężaj się.

Rozluźnij skórę głowy, rozluźnij czoło, rozluźnij małe mięśnie wokół oczu. Twoje policzki rozprężają się. Twoja szczęka otwiera się luźno. Napływa do Twych ust dodatkowa ślina, którą połykasz bez trudu. Wchodzisz w coraz większe rozluźnienie, w coraz głębsze i głębsze. Czujesz się bardzo uspokojony i wyciszony. Jest piękny dzień, jest Ci dobrze.

Życie nie szczędzi Ci przykrości. Obrywasz siniaki. Stajesz w obliczu lęku, gniewu, zazdrości. Kierujesz swoje niepohamowane reakcje na innych, ale i odbierasz często podobne. Jeżeli chcesz wzrastać w akceptacji miłości i mądrości, jeśli chcesz być wolny od bólu cierpień, wybuchów gniewu, musisz umieć przebaczać sobie i innym.

Przebaczenie jest konieczne, jeśli chcesz wprowadzić harmonijne i radosne życie.

Rozluźnij się zatem całkowicie. Będziemy wspólnie pracowali nad uzdrawianiem przebaczania w twoim fizycznym ciele, umyśle i uczuciach.

Przebaczanie zamieni Twój gniew, Twoje złe i wrogie uczucia, Twoje zdenerwowanie w spokój umysłu, w szczęście i równowagę całego organizmu. Kiedy odpoczywasz pod ciepłym działaniem słońca, pozwól, aby wokół Ciebie zaczęły formować się kręgi. Bądź cały czas w środku tych kręgów. Kręgi formują ludzie, z którymi się stykałeś, oraz zdarzenia i sytuacje zaistniałe wokół Ciebie. Wszystko to oczekuje od Ciebie przebaczenia, a także wzajemnie chce przebaczyć Tobie.

Kiedy już kręgi zostały uformowane, skieruj swoją uwagę na jedną osobę lub pojedyncze zdarzenie. Zauważysz, że jesteś mocno związany sznurem z tą osobą lub wydarzeniem. Sznur reprezentuje negatywność między Tobą a Twoim doświadczeniem czy osobą. To jest przyczyna Twego gniewu, powód nieszczęścia.

Przygotuj się do przebaczenia, bo to przyniesie Ci spokój i radość.

W Twojej wyobraźni przebaczenie zatacza coraz szersze kręgi.

Widzisz płomień, który roztapia wszystkie więzy zniewalające Ciebie i innych ludzi z Tobą związanych. Te pęta zostaną zaraz unicestwione. Powtarzaj za mną:

Wszystkim ludziom, którzy dokuczyli mi, przebaczam z głębi serca. Rzeczom przeszłym, obecnym i przyszłym - przebaczam. Autentycznie przebaczam każdemu, kto potrzebuje tego. Ale przede wszystkim przebaczam sobie. Pozwoliłem unieść się moim uczuciom, aby inni mogli mi przebaczać, uwolnić mnie od obciążeń i pozwolić przejść do mojego własnego dobra, szybko i spokojnie. Wszystkie zaszłości między nami zostały wyjaśnione raz na zawsze. Jestem wolny, wolny, wolny.

Odczuwaj, że fioletowy płomień roztapia wszystkie krępujące Cię pęta. Łańcuchy, które zniewalały Cię w przeszłości, zostały rozkute. Każda komórka w twoim organiźmie została odrodzona, przepolaryzowana, przepełniona nową energią. Stało się to dzięki temu, że uwolniłeś się od przesądów i negatywnych myśli. Czujesz się naładowany energią, siłą życiową. Obudziła się w Tobie chęć do cieszenia się życiem, bardziej niż kiedykolwiek dotychczas.

Zauważysz, że jesteś kochającą i godną zaufania osobą, szczególnie wśród członków rodziny, ludzi z którymi pracujesz, przyjaciół i sąsiadów. Odprężasz się i zapadasz w jeszcze głębsze rozluźnienie. Ja pomogę Ci w tym jeszcze bardziej kiedy zacznę liczyć od 8 do 1.

Osiem - rozluźniam się coraz bardziej, głębiej i głębiej,

siedem - czuję się coraz bardziej rozluźniony,

sześć, pięć - jest to coraz doskonalsze,

cztery, trzy, dwa, jeden.

Pozbywasz się tego wszystkiego, co w przeszłości mogło spowodować w Tobie gniew, niezadowolenie. Twój umysł jest zaprogramowany na to, abyś pozwolił im odejść i mógł się całkowicie odprężyć.

Nabierz nosem powietrze głęboko. Zatrzymaj je przez chwilę w swoim ciele. A teraz wydal je, wydal je całkowicie. Jesteś uczciwą osobą. Działasz otwarcie i rozważnie, w sposób godny szacunku w stosunku do wszystkich wokół Ciebie. Jako dorosły, wiesz, że wszyscy patrzą na Ciebie, chcą Twoich rad i wskazówek. Istnieje zaufanie i pewność, że jesteś zdolny dać im to, na co czekają. Twoja pewność wzrasta z każdym dniem, coraz bardziej i bardziej. Ufasz coraz mocniej we własne możliwości. Znika Twoje skrępowanie. Kiedy popełniasz błąd akceptujesz go, przyznajesz się do niego. Przyjmujesz siebie takim, jakim jesteś. Jest to część Twojego życia. Czujesz, jak zaczynasz nabierać sympatii do siebie, jak zaczynasz się lubić. Światło słońca mocno świeci wokół ciebie. Czujesz się bezpieczny i odprężony.

W codziennych kontaktach z ludźmi budujesz coraz większe zaufanie i szczerość.

Umysł Twój jest nastawiony na poszukiwanie ciągle nowych rozwiązań życiowych. Myśli dotyczące przeszłości są łatwo zastępowane innymi, aktualnymi w obecnej chwili.

Naprawdę lubisz siebie. Łatwo przyjmujesz zmiany i jesteś otwarty dla innych ludzi. Szukasz u nich mądrych rad. We wszystkich Twoich sprawach panuje ład i harmonia.

Jesteś uczciwy i szczery. Te uczucia promieniują do tych, którzy są przy Tobie. Zachodzą w Tobie cudowne zmiany. Przestałeś być sędzią dla siebie i innych. Stajesz się pozytywną siłą dla wszystkich zmian i działań.

Zachodzą w Tobie korzystne zmiany na skutek odrzucenia pokarmów zawierających cukier, skrobię, produktów mącznych, a także alkoholu. Zaczynasz tracić smak i pragnienie do trunków w jakiejkolwiek postaci. Zamieniasz alkohol na wodę, która staje się Twoim ulubionym napojem. Wzrasta z dnia na dzień energia w Twoim ciele. Dostrzegasz potrzebę ćwiczeń fizycznych. Rozpoczynasz intensywną gimnastykę. Twoje ciało staje się coraz bardziej sprawne, mięśnie stają się coraz bardziej wzmocnione. Wraz ze wzrostem energii ciała wzmaga się Twoja sprawność seksualna. Zaczynasz przeżywać harmonijne współżycie seksualne i czujesz się z tym doskonale.

Jesteś tolerancyjny wobec ludzi, sytuacji i zdarzeń. Rozumiesz, że światem rządzi i kieruje Siła Większa i Mądrzejsza od Ciebie.

Rozluźnij się. Staraj się zapadać coraz głębiej i głębiej w błogie ukojenie.

Wszystkie obciążenia spadają z Twoich ramion i pleców. Wszystkie napięcia odchodzą z Twego umysłu.

Jesteś rozluźniony nawet podczas najtrudniejszych momentów. Masz kontrolę panowania nad sobą, nad zdarzeniami. Nic Cię nie może wyprowadzić z równowagi. Kiedy wzrastasz w miłości i w zrozumieniu czujesz, że ludzie nie gniewają się na Ciebie. Oni czują gniew do siebie samych. Doświadczyłeś tego na początku naszych ćwiczeń. Obecnie kochasz i akceptujesz samego siebie, przez co łatwiej Ci współżyć z innymi, a im z Tobą. Przebaczyłeś sobie, przebaczyłeś innym. Pozwoliłeś odejść wszystkim nieprzyjaznym reakcjom, myślom, uczuciom. Już nie działają one na Ciebie. Odeślij je do Doliny Słońca wraz ze swoją miłością. Będą reagować z wdzięcznością. Kiedy zauważysz ludzi, którzy mają nieprzyjazny stosunek do Ciebie lub gniewają się. prześlij im miłość z centrum Twojego czoła do centrum ich czoła, prześlij im miłość z głębi serca do wnętrza ich serca. Czyń to często, w każdej sytuacji, w różnych okolicznościach, niech stanie się to automatyczną reakcją.

Przypomnaj sobie często, że każdy kto działa na Ciebie nerwowo może Cię pokonać. Musisz być silny.

Siła Twoja jest w miłości. Ciesz się życiem. Rozluźnij się. Czujesz ciepło w swym ciele. Odpręż się.

Nie wolno Ci marnować życia i tracić energii na negatywne myśli, działania, w stosunku do siebie i innych ludzi. Uśmiechaj się, ciesz się. Obdarzaj serdecznością i odbieraj ją z otoczenia.

Czujesz się dobrze i wszyscy wokół Ciebie czują się podobnie.

Twoje dni są wypełnione duchową i fizyczną przyjemnością. Zasługujesz na wszystkie radości, jakie tylko możesz otrzymać od życia. Istnieje niezmienne prawo duchowe, które mówi: kiedy ofiarujesz dobro, będzie ono wracało do Ciebie. I znów będziesz je mógł rozdawać.

Jeśli kiedykolwiek Twój umysł chciałby działać gniewnie, pozwól mu się uwolnić od tego. Nabierz głębokiego oddechu przez nos i licz w umyśle do czterech. Wypuść bardzo wolno powietrze ustami.

Rozluźnij się. Nabierz ponownie powietrze nosem, licz w myślach od jednego do pięciu. Wypuść ustami powietrze. Umysł Twój jest jasny, zdolny do pracy. Czujesz się zupełnie zrelaksowany.

77. DŹWIĘKI DO UZDRAWIANIA

Nabierz głębokiego oddechu i wydaj dźwięk w czasie wydechu.
Każdy dźwięk może być powtarzany dwa do trzech razy.
Dla najkorzystniejszych rezultatów, ćwiczenie to powinno być powtarzane codziennie.

Dla równowagi w całym ciele: .... A E I O U

Dla płuc, zatok i czaszki: .... HUM HUM HUM

Dla uszu: .... N N N

Dla zatok nosowych: .... MA MA MA

Dla szczęki, migreny, bólów z napięć: .... YA YOU YAI

Dla żołądka (niestrawność, nienormalny apetyt,
zgaga): .... śmiech - HUH HUH HUH

78. ELEMENTY TWORZĄCE PROFIL OSOBY SUKCESU

Profil osoby sukcesu przedstawia wiele cech i wartości ujawniających się w praktycznych działaniach dzień po dniu.

Oceń siebie w skali od jednego do dziesięciu za każdy punkt wyszczególniony poniżej:
1 - oznacza, że pozycja ta nie określa Ciebie, a 10 - określa Ciebie dokładnie.

Każdego dnia moje cele są jasno określone i zapisane

Moje cele na rok następny i na pięć lat są jasno określone i zapisane

Mam silną motywację

Nie okazuję oznak zniechęcenia

Wyrobiłem w sobie nawyki pracowitości i zgodności

Osoba z wysokim profilem sukcesu będzie oceniała siebie w wyższym szeregu liczb np: 7 albo więcej.

79. RÓŻNICA MIĘDZY SŁUCHANIEM, A SŁYSZENIEM

Jaka jest różnica między słuchaniem a słyszeniem? Powiesz, że to proste. Czy rzeczywiście? Dlaczego więc często pamiętamy tylko 50% z tego, co ktoś nam powiedział. Czy jesteśmy nieokrzesani, lekceważący. Oczywiście nie. Nie przyswoiliśmy sobie pozytywnych nawyków słuchania. Nauczyliśmy się jak powstrzymywać tę zdolność. Robimy to dzięki czterem fałszywym przekonaniom odnośnie słuchania.

Fałsz nr.1: Słuchanie jest funkcją wrodzonych zdolności. Albo jesteś dobrym słuchaczem, albo nie.

Prawda: Ten rodzaj postawy, odbiera Ci moc do poprawy Twoich umiejętności. Przyjmij postanowienie że chcesz stać się aktywnym, dokładnym, wiernym słuchaczem, a takim się staniesz.

Fałsz nr. 2: Słuchanie jest ściśle związane z dobrym słuchem, z ostrością słuchu. Jeśli ktoś nie jest dobrym słuchaczem prawdopodobnie coś jest nie w porządku z jego narządem słuchu.

Prawda: Powyższe stwierdzenie trzeba uznać za fałszywe ponieważ statystycznie stwierdzono że mniej niż 6% dzieci w wieku szkolnym cierpi na defekty słuchu, a prawie wszystkie mają trudności z koncentracją uwagi i rozumieniem tego co słyszą.

Fałsz nr. 3: Ćwiczenie słuchania jest niepotrzebne. Ludzie mówią do nas stale, dlatego mamy wystarczająco dużo praktyki.

Prawda : Praktykowanie czegoś nie zawsze prowadzi do perfekcji, szczególnie, kiedy większość ludzi praktykuje złe nawyki. Musimy nastawić się na ćwiczenie dobrych nawyków, które będą prezentowane w tej sesji.

Fałsz nr. 4: Uczenie czytania uczy nas słuchania. Czytanie jest bardziej skomplikowane, a więc poprawa zdolności słuchania powinna nastąpić w sposób naturalny.

Prawda: Pewne umiejętności, których nauczyliśmy się poprzez czytanie mogą usprawnić zdolność słuchania, lecz słuchanie od słyszenia odróżniają dwie zasadnicze rzeczy:

Po pierwsze: jest to czynność polegająca na współdziałaniu.

Po drugie: słuchanie wymaga przystosowanie się do typu mowy osoby, która mówi, czy z którą rozmawiamy.

80. MAGICZNY UMYSŁ

Badania wykazują, że informacje pobierane za pomocą wzroku mają głęboki wpływ na to, co dzieje się w Twoim ciele.

Oczy są lustrem duszy. Ruchy oczu zawsze odzwierciedlają to, co dzieje się w świadomości człowieka.

Pragnę zwrócić uwagę państwa na ćwiczenia z oczami, które natychmiast poprawią wasz wzrok, zdolność postrzegania kolorów, co da więcej przyjemności z życia. Zauważyłem także poprawę pamięci, twórczości, zasięgu skoncentrowanej uwagi i uczenia się. Wszystko to można osiągnąć za pomocą kilku prostych ćwiczeń z oczami.

ZBIERANIE INFORMACJI WZROKIEM

Informacje jakie odbieramy za pomocą naszego wzroku mają ogromny wpływ na to co dzieje się w naszym ciele.

Każde nasze zmysłowe odczucie w 1/100 sekundy zmienia chemię naszego ciała. Kiedy coś widzisz, czy coś słyszysz, czy dotykasz czegoś, czy smakujesz czegoś, czy wąchasz coś Twój umysł reaguje w 1/100 sekundy.

Gdybyśmy wiedzieli o tym moglibyśmy dobierać sobie odpowiednie bodźce, aby wpływały na chemię naszego organizmu w pozytywnym kierunku.

Badania wykazały, że kiedy ludzie przyglądają się scenom natury, obrazom harmonijnego życia domowego, widokom lasów, czy tęczy, nasze umysły wyzwalają całkiem inne wzory wibracji, aniżeli, kiedy oglądamy sceny nikczemnej zbrodni, czynnego zakładu przemysłowego, czy parkowisko samochodów.

Co widzisz wpływa na to co dzieje się w Tobie, ma wpływ na Twoje samopoczucie, ciśnienie krwi, hormony stresów.

W następnych paru minutach chciałbym przejść przez serię sposobów postępowania, pokazać co możemy zrobić z oczami, poprawić nasz wzrok, poprawić naszą zdolność postrzegania obrazów, kolorów i nauczyć się doświadczania zupełnie nowych informacji wypływających z naszej świadomości.

Wszystko to możliwe jest do osiągnięcia za pomocą kilku prostych ćwiczeń z oczami.

Pierwsze Ćwiczenie

Patrz na słońce zamkniętymi powiekami pozwalając promieniom słonecznym stymulować siatkówkę, która jest odpowiedzialna za postrzeganie światła.

Kiedy nie mamy dostępu do światła słonecznego, kiedy dzień jest pochmurny możemy korzystać ze światła elektrycznego pełnego widma (full spectrum). Lampy tego typu są do nabycia w większości sklepów z oświetleniem.

Lampy te mają inną długość światła niż ma słońce.

W naukowych pismach medycznych w Anglii stwierdzono, że kiedy światło pełnego widma zastosowano w klasach szkolnych, dzieci zaczęły się szybciej uczyć, stopnie ich poprawiły się i co ciekawsze zmniejszyła się ilość zachorowań na grypę, mniej infekcji w zimie.

Większość świateł stosowanych wewnątrz budynków nie jest gatunku pełnego widma, co nie jest zdrowe, tak jak to, które jest podobne do naturalnego słonecznego światła.

Kiedy zaczniemy patrzeć z zamkniętymi oczami na słońce, promienie słoneczne pobudzają komórki siatkówki, przez co oczy stają się bardziej czułe na działanie światła.

Drugie ćwiczenie polega na obserwowaniu kolorów

Skieruj twarz ku słońcu na 15 - 20 sekund, miej oczy przymknięte. Następnie delikatnie masuj powieki końcami palców równieżprzez 15 - 20 sekund. Powtarzaj całe ćwiczenie 3 do 4 razy. Zauważymy, że zaczniemy widzieć kolory mając zamknięte oczy.

Nie wszyscy będziemy widzieć takie same kolory, ponieważ kolory, jakie będziemy oglądać mają źródło w nas.

Jedni widzą więcej czerwonego.

Inni widzą więcej niebieskiego.

Jeszcze inni widzą więcej żółtego, zielonego.

Te kolory powstają w naszym kwanto-mechanicznym ciele.

Twoje oczy są stale zamknięte, postrzegasz kolory powstające w Tobie, a nie kolory zewnętrzne.

Utrzymujesz swoją uwagę w taki sposób, że zachowujesz doświadczenie tych kolorów w Twojej świadomości.

Robisz to przez 30 sekund, 45 sekund, a czasami przez minutę lub 2 minuty.

Kolory zaczynają się zmieniać. Możesz doznawać pełnej gamy kolorów od fioletu, przez indygo, do zielonego, żółtego, oliwnego i czerwonego.

Pomysł robienia tych ćwiczeń ma na celu ustalenie kolorów w naszym postrzeganiu, pobudzając te komórki oka, które są receptorami w postrzeganiu kolorów.

Rezultatem tych ćwiczeń będzie, że zaczniemy lepiej zauważać kolory otaczającego nas świata w żywszych odcieniach, silniejsze i bardziej rezonujące. Nasza zdolność odczuwania ich stanie się bogatsza. Będziemy zauważać je spontanicznie.

Ten sam zachód słońca obserwowany przez dwoje ludzi może wywoływać zupełnie różne przeżycia. Jeden będzie widział żywe, bogate mieniące się kolory, a drugi będzie zauważał zamazane nieciekawe kolory.

Kiedy nasze życie staje się bardziej wrażliwe, kolory stają się bardziej żywe, co ma natychmiastowe efekty uzdrawiające.

Z zamkniętymi oczami patrzysz w kierunku słońca, lub światła pełnego widma przez 30 sekund, delikatnie masujesz powieki. Kiedy oczy są zamknięte, a następnie kilka razy przenosisz swoje oczy w kierunku słońca i utrzymujesz tak długo, jak możesz. Całe ćwiczenie zabiera pięć do sześciu minut.

Powtarzane każdego, dnia przemienią Twoją percepcję.

Inne ćwiczenie może będzie również bardzo pomocne, można naprawić wiele naszych problemów, kiedy jesteśmy krótkowidzami, czy długowidzami albo mamy jakiekolwiek inne problemy refrakcyjne, które mogą być naprawione.

Po pewnym okresie czasu będziesz zmuszony zmienić soczewki swoich okularów. Może to nastąpić trzy lub cztery razy, aż w końcu zauważysz, że pomoce korekcyjne nie będą potrzebne.

Kiedy ludzie się starzeją, soczewki stają się coraz mniej elastyczne. W wyniku tego płyny w oku stają się coraz gęstsze, co prowadzi do tworzenia się katarakt. Przez naprawę elastyczności, ruchliwości zabezpieczamy się przed kataraktami w przyszłości, jak również poprawiamy nasze zdolności widzenia, a także naszą krótkowzroczność czy długowzroczność.

Istnieją trzy sposoby na poprawę ruchliwości soczewek.

Pierwszą określamy ogniskowaniem. Polega to na patrzeniu na obiekt, który jest blisko nas, następnie patrzymy na obiekt znajdujący się dalej. Możesz swoją rękę trzymać kilka cali ponad oczami, nie więcej niż 6 cali, spójrz na swoją rękę i patrz na odległy obiekt. . Zwykle będzie to horyzont następnie spójrz ponownie na rękę , Powtarzasz tę czynność 15 razy. Bez napięcia, swobodnie, zwyczajnie. Kiedy to robisz zmieniasz ogniskową soczewki, przez te zmiany zwiększasz elastyczność, plastyczność, zdolność dostosowywania się do sytuacji.

Drugą rzeczą na zwiększenie łatwości przystosowania się jest proces czytania z odległości.

W tym ćwiczeniu bierzesz materiał pisany jak ten, który dotyczy treści tu prezentowanych , przypnij do ściany, ustaw się w odległości tak daleko, jak tylko to możliwe i i każdego dnia oddalaj się trochę dalej, tak daleko abyś mógł swobodnie czytać.

Kiedy będziesz robił to powoli, to zauważysz, że stopniowo będziesz zdolny czytać z coraz dalszej odległości. W końcu miesiąca będziesz mógł czytać z końca pokoju.

Przeciwnością czytania z odległości jest czytanie z bliska.

Bierzesz ten sam drukowany materiał i czytasz z takiej bliskości z jakiej możesz to wygodnie robić i następnie każdego dnia przybliżaj się, abyś w końcu mógł czytać pismo znajdujące się tuż przed Twoim nosem.

Tak zasięg Twojego wzroku zwiększa się z bliskiego do najbliższego, od dalekiego do najdalszego. Te trzy sposoby postępowania ogniskowania, czytania z odległości i czytania z bliska są bardzo pożyteczne do naprawy zdolności przystosowania się i elastyczności soczewki.

Tyko raz wykonujemy te ćwiczenia. Każde poszczególne ćwiczenie nie powinno zabrać więcej niż 15 do 20 sekund. A całe postępowanie nie więcej niż 5 do 6 minut.

Pamiętajmy, że w czasie ćwiczeń powinniśmy usunąć soczewki lub okulary z oczu.

Następne ćwiczenie nazywamy Sześć pozycji oka.

Te pozycje wzmacniają mięśnie oczu, mięśnie te są odpowiedzialne za koordynację oczu. Wzmocnione mięśnie mają wpływ na funkcjonowanie wzroku i koordynację, co pozwala wprowadzanie różnych informacji do naszej świadomości, przez co wzmacnia się pamięć, zdolność uczenia się, rozpiętość zasięgu uwagi, koncentracji, co wszystko razem prowadzi do bardziej stabilnej fizjologii, wszystkich funkcji życiowych organizmu.

Pierwszą ustawioną pozycją oczu jest patrzenie w lewo i do góry.

Patrząc w lewo i do góry utrzymując oczy w tej ustalonej pozycji przez 15 sekund. Patrzysz przed siebie od wysuniętego palca w lewo.

Ten ruch robią ludzie spontanicznie kiedy starają się przypomnieć sobie obraz czegoś. Np: kiedy zapytasz kogoś jaki był piknik i jak ludzie byli ubrani, w jakich kolorach, kiedy ludzie starają sobie przypomnieć, wtedy odruchowo podnoszą oczy do góry i w lewo. Przez tego rodzaju ćwiczenia wzmacniamy naszą zdolność przypominania sobie. Patrząc w dół i w lewo pobudzamy słuchową pamięć i słuchowe odtwarzanie.

Kiedy odtwarzamy rozmowę, czy muzykę, spontanicznie spoglądamy w dół i w lewo.

Patrząc w dół i w prawo, pozwalam na odtwarzanie kinostatycznych obrazów ruchowych, albo doświadczenie dotyku, jest to pamięć dotyku.

Jeden typ ludzki jest wrażliwy na dotyk i brzmienie głosu, dlatego zwykle ludzie ci spoglądają w dół.

Drugi typ spogląda w górę ponieważ jest uwrażliwiony na słońce, światło, obraz.

Trzeci typ zwraca uwagę na nos i język. Zbieraja informacje przez zapach i smak.

Widzimy, że obserwując ruchy oczu ludzkich możemy trafnie określić jaki typ człowieka mamy przed sobą.

Kiedy patrzymy w górę i w prawo jest to pozycja oczu, która wzmacnia zdolności tworzenia nowych form wizualnych, tak jak to robi twórczy artysta.

Kiedy patrzysz poziomo w prawo, jest to rodzaj ruchu jaki stosuje muzyk, czy kompozytor kiedy tworzy nowe formy dźwięków, nowe symfonie.

Kiedy patrzymy w lewo poziomo, to jest to samo, jakbyśmy patrzyli w lewo i w dół, przywołując pamięć dźwiękową. Kiedy wpatrujesz się w nos, wzmacniam wszystkie dziedziny pamięci zapachu, powonienia.

Kiedy masz odczucie, że Twoje oczy koncentrują się na języku, wzmacniasz pamięć gastryczną, pamięć smaku.

Widzimy, że przez utrzymanie oczu w określonej pozycji możemy zbierać różne rodzaje informacji, które istnieją w naszej własnej świadomości, przez co wzmacniamy naszą pamięć, wzmacniamy naszą zdolność przywołania, wzmacniamy nasz zasięg uwagi, wzmacniamy naszą zdolność uczenia się.

Zbadano laboratoryjnie, że kiedy ludzie praktykują te skoncentrowane pozycje, doznają koherencji (zgodność myśli) fal mózgowych wyższej częstotliwości.

Fale myślowe wykazują rytmiczną wzajemną harmonię.

To znowu zwiększa naszą zdolność uczenia się. Dotyczy to pamięci i odbierania wizualnych informacji.

Jeden typ zwykle ma lepszą łatwość reagowania pamięciowego.

Drugi lepiej pamięta obrazy. Pamięć wzrokowa jest silniejsza od innych form. Trzeci pamięta lepiej smak i zapach.

Kiedy będziemy robić te wszystkie ćwiczenia 30 sekund utrzymując oczy w każdej pozycji i przesuwając je do tych wszystkich pozycji zaczynając od góry i w lewo, w dół w lewo, na dół w prawo, do góry w prawo, poziomo w lewo, poziomo w prawo, patrzeć w nos 30 sekund. 30 sekund wewnątrz na język i ostatecznie podnieść oczy do góry patrząc na przestrzeń między brwiami. Kiedy to robimy według wschodniej tradycji otwieramy trzecie oko, oko intuicji, która jest podniesioną świadomością.

Świadomość jest miejscem, gdzie wszystkie informacje się znajdują.

Przez to stajemy się bardziej intuitywni.

Intuicja jest niczym innym, jak tylko podniesionym stanem świadomości.

Przez ćwiczenie tych wszystkich pozycji, wzbogacamy wszystkie aspekty uczenia się. pamięci, ostatecznie zdążając do pełniejszego i bogatszego życia i wielozmysłowego doświadczania.

Przez omawiane tu ćwiczenia oczu, wzmacniamy w nas te wszystkie zdolności, które i tak już były niezależne. Zrozumiemy, że materia czy struktura jest ostateczną sprawą, przed materią jest funkcja, przed funkcją jest intuicja, przed intuicją jest świadomość.

Ze świadomości wszystko wychodzi.

Oczy są lustrem duszy.

Ruchy oczu zawsze odzwierciedlają, co dzieje się w świadomości.

ZAKOŃCZENIE

Książka ta "rosła" przez kilka lat. Miałem okazję obserwować, jak myśli tu przedstawione zmieniały losy ludzi.

Sam doświadczyłem wielu pozytywnych zmian. Nauczyłem się, że kontrolowane emocje decydują o wynikach tego co robimy.

Percepcja doświadczanych zjawisk, ma ogromny wpływ na stosunek do tego, co spotykamy.

Pozytywne uczucia wyzwalają twórczą energię i przyspieszają rezultaty. Jeżeli koncentrujemy się na radości, czujemy, że mamy skrzydła i doznajemy tego uczucia.

Dla maksymalnych osiągnięć musimy nauczyć się gospodarować czasem, umiejętnie łączyć pracę z odpoczynkiem.

Zauważyłem, że "ochoczy duch" długo trwa w człowieku, kiedy podbudowuje się go sprawnością ciała. Proste ćwiczenia oczu poprawiają wzrok, rozpiętość Twojej uwagi, wzbogacają pamięć. Fizyczne ćwiczenia, rozciągające długie mięśnie, wykonywane wolno, harmonijnymi ruchami, w radosnym nastroju, pozwalają odbudować energię.

Spacery na świeżym powietrzu, kontakt z naturą, piękne widoki połączone z dobrymi myślami o bogactwie i urokach tego świata, pozwalają na szybką regenerację umysłu i ciała.

Dotlenione płuca zaczynają pracować pełną mocą. Odczuwamy nowe rezerwy sił w sobie.

Coraz częściej odnotowujemy sympatyczne myśli, uśmiechamy się do siebie i innych ludzi.

Wiemy, że gniew zaślepia i niszczy. Kto nie potrafi zapanować nad nim jest przegrany.

Zastanawiamy się, jak możemy przemienić negatywne problemy na pozytywne. Jeśli pragniemy osiągnąć najlepsze wyniki, to musimy ryzykować, zbierać cięgi, pokonywać trudności. Droga do celu bywa żmudna. Mimo to, trzeba ciągle podążać do przodu.

Ulegamy nastrojom, ale nie możemy się bać odpowiedzialności za swoje czyny, przedsięwzięcia. Nastroje zależne są od reakcji na wyzwania. Możemy zupełnie świadomie regulować swoje samopoczucie.

Boimy się stresów. Są one jednak potrzebne. Pobudzają do podejmowania działań. Wyzwalają w nas energię, a jej przypływ czyni nas silnymi i odważnymi.

Kiedy projektowałem budynki w "Ogrodzie zoologicznym" w Brookfield obserwowałem zachowanie zwierząt. Zainteresował mnie pewien eksperyment. Do klatek, gdzie mieszkały dzikie zwierzęta wprowadzono naturalny zapach ich wrogów. Osowiałe zwierzęta natychmiast reagowały. Biegały z niepokojem. Czuły się zagrożone i to pobudzało je do aktywności.

W stosunkach międzyludzkich potrzeba nam czasem przeżyć lęk wynikający z możliwości utraty uczuć osoby kochanej, lubianej, aby zmobilizować się do inwestowania w ten związek.

Często odczuwamy biochemiczne reakcje. Chemia przygotowuje ciało do walki, czasem do ucieczki. Musimy umieć przyjmować odpowiednie postawy do zaistniałych sytuacji.

Podejmując działanie musimy się koncentrować na tym co robimy w danej chwili, a nie na wynikach tego co możemy otrzymać. Nasze pragnienia powinny być zdecydowane, wyzwalające twórczą energię i pasję.

Silna motywacja do osiągnięć, do sukcesu jest potrzebna każdemu. Trzeba powiedzieć sobie: Kocham to czego pragnę, bez względu na to, ile przeszkód mam do pokonania.

Motywacja jest energią. Energia zaś powiązana jest z ćwiczeniami i odżywianiem. Trzeba dbać o to, aby następowało zrównoważenie energii wydzielanej z energią odzyskaną. Wówczas powstaje nowy cykl energetyczny. Motywacja do idealnego działania zakłada, że nie może być miejsca na lęk czy gniew. Musi być pasja, ryzyko, wiara, cierpliwość, chęć do pracy.

Motywacja winna wypływać z głębi człowieka, z jego potrzeb psychofizycznych.

Motywacja rodzi sama siebie, kiedy automatycznie wprowadza dosyć depozytów bankowych, po każdym wyjęciu środków.

Jakie są Twoje naturalne pasje w życiu?

Co działa na podniesienie Twego ducha?

Czy żyjesz tylko teraźniejszością i przyszłością, uważając przeszłość za niebyłą.

Jaką masz wizję swojej przyszłości?

Czy do tego, co pragniesz osiągnąć, podążasz wytrwale i systematycznie? Czy jesteś gotowy na podjęcie ryzyka? Nie bój się błędów. Bez nich nie odkryjesz nowych dróg i nie znajdziesz pomyślnych rozwiązań. Tylko metodą prób i błędów osiągniesz sukces. Ale pamiętaj, że nie możesz popełniać tych samych pomyłek.

Samolot wylatujący z Chicago do Warszawy stale zbacza z trasy kursu. Jest prowadzony przez radar i szybko koryguje błędy. Na całej trasie ma tylko dwa punkty niezmienne: miejsce startu i cel lądowania.

Ty też musisz zacząć z jakiegoś miejsca swój lot i poprzez marzenia, wizję przyszłości dążyć do celu.

Musisz kochać i lubić to, co robisz. Żyć chwilą obecną, dniem dzisiejszym. Twoje ambicje mają się stać siłą napędową do wzniosłych działań.

Czy masz wystarczającą ilość energii do realizacji zamierzeń? Jeśli nie, musisz ją uzupełnić.

Gdzie ulokowałeś swoje pasje? W życiu małżeńskim, w pracy, w działalności społecznej?

Co kochasz bardziej: proces działania czy końcowy wynik?

Czy to co robisz, sprawia Ci przyjemność, daje zadowolenie. Bądź radosny, miej dobry humor. Humor: obniża ciśnienie krwi, zwiększa przepływ krwi do mózgu, redukuje stresy, poprawia oddychanie, koncentrację, stosunki z ludźmi, daje poczucie siły, pomaga w twórczym myśleniu i działaniu, przełamuje nieśmiałość. Humor jest mocą. Jest doskonałym narzędziem do budowania i utrzymania energii.

Najlepszy jest taki humor, który wprowadza człowieka w pozytywny stan podniecenia. Humor negatywny bywa często niebezpieczny, ponieważ wyśmiewa się z innych.

Obdarzaj wszystkich serdecznością, uśmiechem. Otrzymasz to samo ze zdwojoną ilością.

Wykorzystuj potęgę swego umysłu. Wyobrażaj sobie to do czego dążysz. Naucz się wiązać słowa afirmacji z emocjami, a uzyskasz energię zdolną pokonać każdą przeszkodę.

Wielkie osiągnięcia życiowe mają swój początek w wyobraźni, która łączy się z emocjami, z entuzjazmem.

Pomyśl i odpowiedz sobie, co było Twoim najlepszym osiągnięciem w ostatnich dwóch miesiącach. Jak czułeś się wówczas? Jaką energię odczuwałeś w sobie?

Wyobraźnię możesz ćwiczyć. To pozwoli Ci zwiększyć szansę na powodzenie.

Podczas działań musimy pamiętać o kontrolowaniu własnyc' uczuć i emocji.

Sytuacje jakie tworzysz w swej wyobraźni postrzegaj wszystkimi zmysłami. Szukaj w nich tylko pozytywnych odniesień.

Umysł i ciało powinny być ze sobą w harmonii. Wówczas praca będzie bardziej efektywna. Dobre wykonanie zadania połączone jest zawsze z radością, z uczuciem zadowolenia i koncentracją.

Droga do sukcesu dla każdego bywa inna. Wiele zależy od naszych decyzji. Podejmowanie decyzji jest sztuką. I dlatego, że nie nauczono nas tej sztuki, wiele fortun i szans zostało straconych oraz niewykorzystanych.

Brak decyzji bywa wynikiem lęku przed nieznanym. Odkładając decyzje, przesuwamy swoje działanie na później. Tego nie należy czynić.

Stumilowa podróż zaczyna się pierwszym krokiem. Zrób dzisiaj swój pierwszy krok na drodze do sukcesu. Bądź śmiały i odważny. Wiesz do czego dążysz, co chcesz osiągnąć, więc nie obawiaj się przeszkód.

Cele są szansą na lepsze jutro, na sukces, na zrealizoawnia Twoich marzeń.

Sukces nie przychodzi łatwo, trzeba włożyć wiele serca i pracy w jego realizację. Jeśli czekasz, że coś samo do Ciebie "przyjdzie", to się mylisz. Ty jesteś "kowalem" swego losu, musisz kuć twarde żelazo czasem długo, wytrwale, zdecydowanie, ale z wiarą, że uformujesz z niego zaplanowany kształt.

Powtarzaj sobie co dzień afirmację: **Z każdym dniem jest mi pod każdym względem coraz lepiej i lepiej.** Mów to z przekonaniem, a osiągniesz cel.

Wykorzystaj maksymalnie wszystkie swoje możliwości na drodze do samorealizacji.

Twoje całe życie opiera się na współzależności z innymi. Szukaj prawdziwych przyjaciół. Pytaj o wszystko co Cię interesuje. Kto pyta nie błądzi. Szybciej dojdziesz do celu. Na drodze mniej będzie "prób i błędów".

Organizuj się w grupach wzajemnego wspomagania. To przyniesie Ci dużą korzyść.

Opanuj wszystkie złe nawyki i przyzwyczajenia, bo one utrudniają Ci życie i opóźniają czas sięgnięcia po sukces.

Eliminuj ze swego życia gniew. Umiej przebaczać. Łatwiej Ci będzie żyć i pozyskiwać ludzi do współdziałania.

Określ swoje życiowe role i realizuj je zgodnie z planem. Zdobędzisz panowanie nad własnym losem, a życie nabierze sensu i barwy.

Życzę sukcesów i radosnego uczucia, że walka o wielką stawkę Twego życia już się rozpoczęła.

SPIS TREŚCI